#교과서×사고력
#게임하듯공부해
#스티커게임?리얼공부!

Go! 매쓰
초등 수학

저자 김보미

- 네이버 대표카페 '성공하는 공부방 운영하기' 운영자
- '미래엔', '메가스터디', '천재교육' 교재 기획 및 집필
- 전국 1,000개 이상의 공부방/선생님 컨설팅 및 교육
- 현재 〈GO! 매쓰〉 수학 공부방 운영

Chunjae
Makes
Chunjae

기획총괄	김안나
편집개발	이근우, 김정희, 서진호, 한인숙, 최수정, 김혜민, 김현주, 박웅
디자인총괄	김희정
표지디자인	윤순미
내지디자인	박희춘, 이혜미
제작	황성진, 조규영

발행일	2020년 10월 1일 2판 2021년 10월 1일 2쇄
발행인	(주)천재교육
주소	서울시 금천구 가산로9길 54
신고번호	제2001-000018호
고객센터	1577-0902
교재 구입 문의	1522-5566

※ 정답 분실 시에는 천재교육 홈페이지에서 내려받으세요.
※ KC 마크는 이 제품이 공통안전기준에 적합하였음을 의미합니다.
※ 주의
책 모서리에 다칠 수 있으니 주의하시기 바랍니다.
부주의로 인한 사고의 경우 책임지지 않습니다.
8세 미만의 어린이는 부모님의 관리가 필요합니다.

교과서 GO! 사고력 GO!

GO! 매쓰

Run-A

교과서 사고력

수학 5-1

구성과 특징

1주차 교과 집중 학습

1 교과서 개념 완성

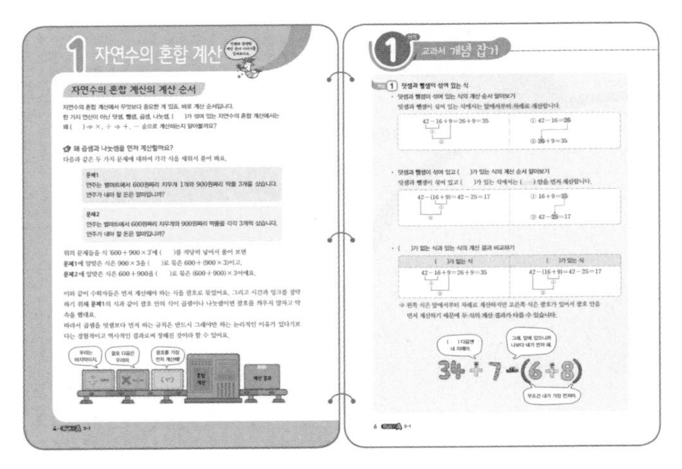

재미있는 수학 이야기로 단원에 대한 흥미를 높이고, 교과서 개념과 기본 문제를 학습합니다.

2 교과서 개념 PLAY

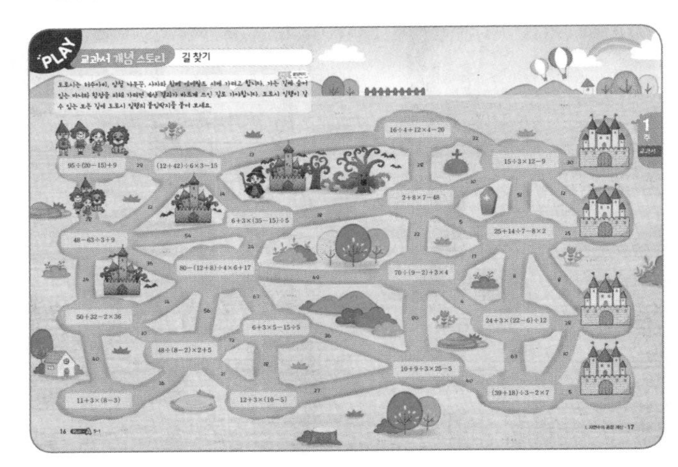

게임으로 개념을 학습하면서 집중력을 높여 쉽게 개념을 익히고 기본을 탄탄하게 만듭니다.

3 문제 풀이로 실력 & 자신감 UP!

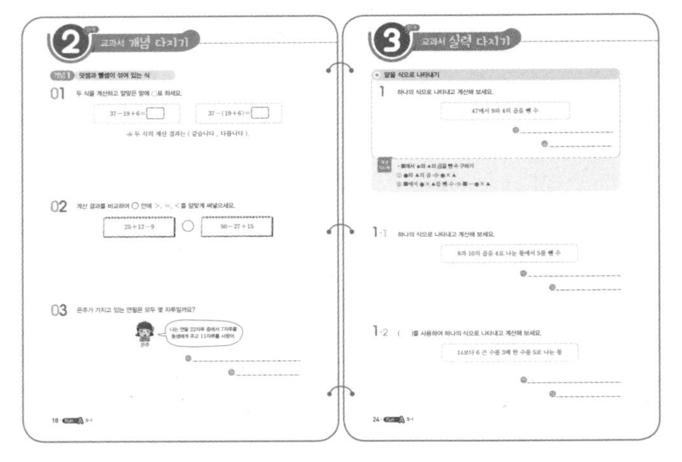

한 단계 더 나아간 교과서와 익힘 문제로 개념을 완성하고, 다양한 문제 유형으로 응용력을 키웁니다.

4 서술형 문제 풀이

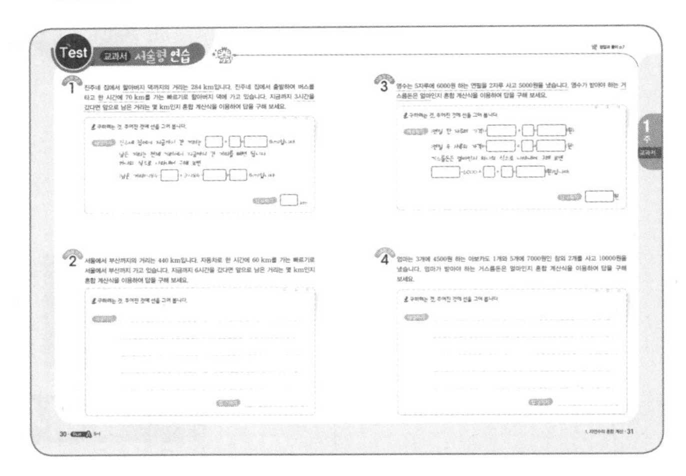

시험에 잘 나오는 서술형 문제 중심으로 단계별로 풀이하는 연습을 하여 서술하는 힘을 높여 줍니다.

교과 + 사고력
2주에 **한 단원** 완성!

2 주차 사고력 확장 학습

1 사고력 PLAY

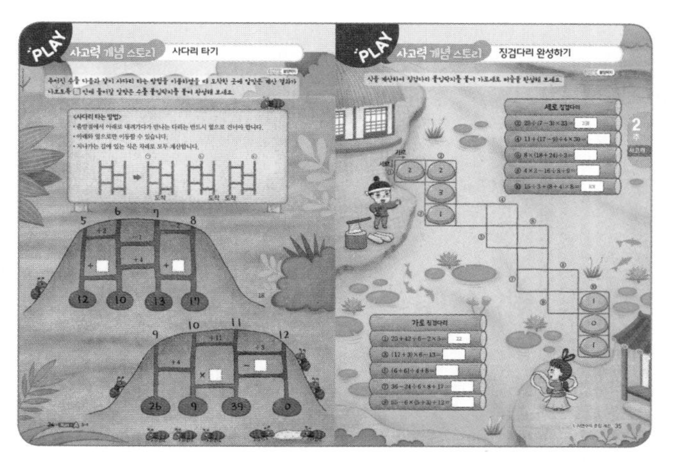

교과 심화 문제와 사고력 문제를 게임으로 쉽게 접근하여 어려운 문제에 대한 거부감을 낮추고 집중력을 높입니다.

2 교과 사고력 잡기

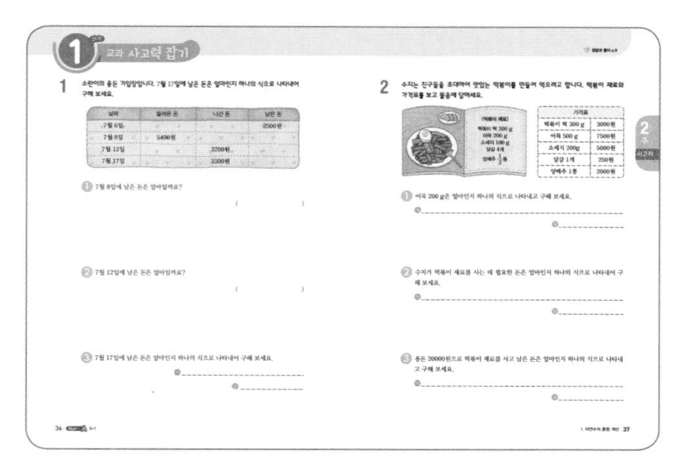

문제에 필요한 요소를 찾아 단계별로 해결하면서 문제 해결력을 키울 수 있는 힘을 기릅니다.

3 교과 사고력 확장 + 완성

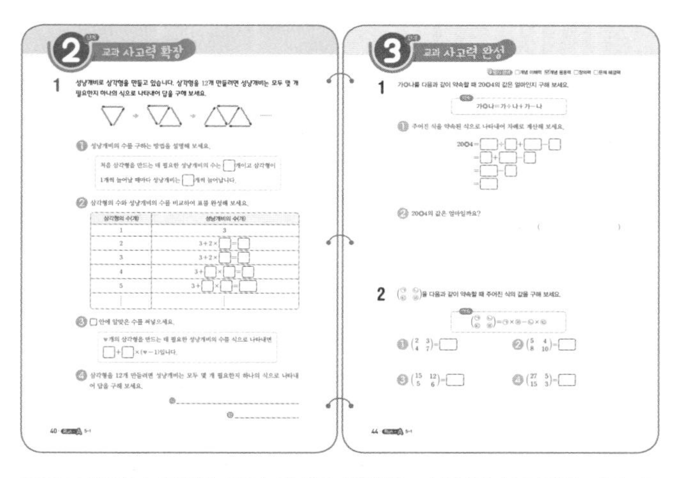

틀에서 벗어난 생각을 하여 문제를 해결하는 창의적 사고력을 기를 수 있는 힘을 기릅니다.

4 종합평가 / 특강

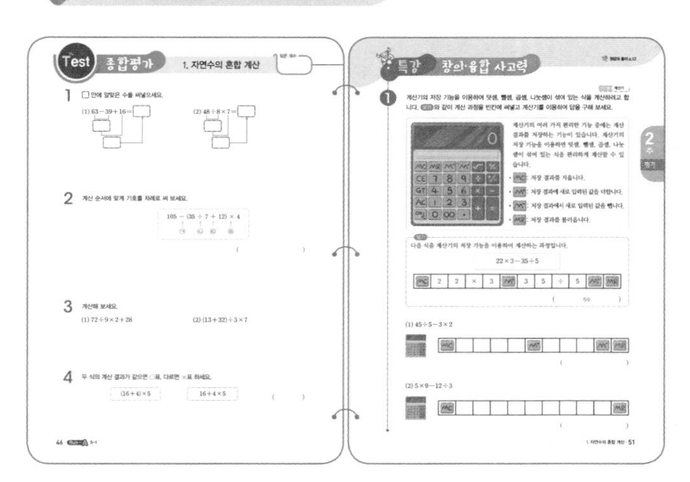

교과 학습과 사고력 학습을 얼마나 잘 이해하였는지 평가하여 배운 내용을 정리합니다.

1 자연수의 혼합 계산

단원과 관련된 계산 순서 이야기를 살펴보아요.

자연수의 혼합 계산의 계산 순서

자연수의 혼합 계산에서 무엇보다 중요한 게 있죠. 바로 계산 순서입니다.
한 가지 연산이 아닌 덧셈, 뺄셈, 곱셈, 나눗셈, ( )가 섞여 있는 자연수의 혼합 계산에서는 왜 ( ) ➔ ×, ÷ ➔ +, − 순으로 계산하는지 알아볼까요?

왜 곱셈과 나눗셈을 먼저 계산할까요?

다음과 같은 두 가지 문제에 대하여 각각 식을 세워서 풀어 봐요.

문제1
연주는 별마트에서 600원짜리 지우개 1개와 900원짜리 딱풀 3개를 샀습니다.
연주가 내야 할 돈은 얼마입니까?

문제2
연주는 별마트에서 600원짜리 지우개와 900원짜리 딱풀을 각각 3개씩 샀습니다.
연주가 내야 할 돈은 얼마입니까?

위의 문제들을 식 '$600+900\times3$'에 ( )를 적당히 넣어서 풀어 보면
문제1에 알맞은 식은 900×3을 ( )로 묶은 $600+(900\times3)$이고,
문제2에 알맞은 식은 $600+900$을 ( )로 묶은 $(600+900)\times3$이에요.

이와 같이 수학자들은 먼저 계산해야 하는 식을 괄호로 묶었어요. 그리고 시간과 잉크를 절약하기 위해 **문제1**의 식과 같이 괄호 안의 식이 곱셈이나 나눗셈이면 괄호를 씌우지 말자고 약속을 했대요.
따라서 곱셈을 덧셈보다 먼저 하는 규칙은 반드시 그래야만 하는 논리적인 이유가 있다기보다는 경험적이고 역사적인 결과로써 정해진 것이라 할 수 있어요.

☆ 포포즈(four fours) 게임

포포즈 게임은 19세기 말부터 20세기 초까지 미국에서 유행했던 퍼즐 중 하나입니다.
이름대로 네 개의 4와 사칙연산 기호(＋, －, ×, ÷)와 괄호 등을 사용해 목표하는 자연수를 만드는 게임입니다.

(1) $(4+4)\div(4+4)=1$	(2) $4\times4\div(4+4)=2$
(3) $(4\times4-4)\div4=3$	(4) $4\times(4-4)+4=4$
(5) $(4\times4+4)\div4=5$	(6) $(4+4)\div4+4=6$
(7) $4-4\div4+4=7$	(8) $4\times4-4-4=8$

네 개의 6과 ＋, －, ×, ÷, (　　)를 사용하여 사물함의 번호를 만들었습니다. □ 안에 알맞은 수를 써넣으세요.

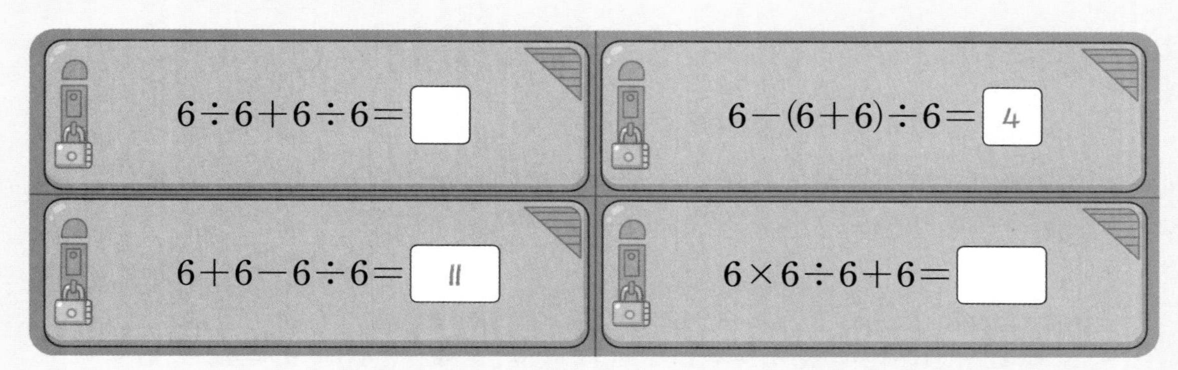

네 개의 2와 ＋, －, ×, ÷, (　　)를 사용하여 네 자리의 비밀번호를 만들었습니다. □ 안에 알맞은 수를 써넣고, 비밀번호를 구해 보세요.

<비밀번호>

첫 번째 자리 숫자: $2\div2+2+2=5$

두 번째 자리 숫자: $2-2+2\div2=$ □

세 번째 자리 숫자: $2\times2+2\times2=8$

네 번째 자리 숫자: $2+2\div2\times2=$ □

➔ 비밀번호: □ □ □ □

개념 1 덧셈과 뺄셈이 섞여 있는 식

• 덧셈과 뺄셈이 섞여 있는 식의 계산 순서 알아보기

덧셈과 뺄셈이 섞여 있는 식에서는 앞에서부터 차례로 계산합니다.

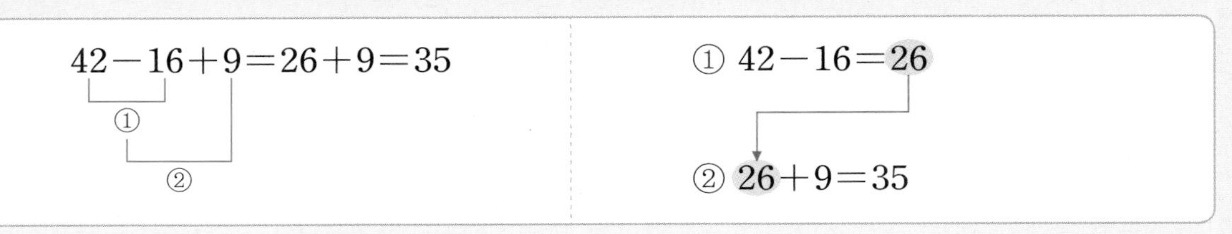

$42-16+9=26+9=35$

① $42-16=26$

② $26+9=35$

• 덧셈과 뺄셈이 섞여 있고 (   )가 있는 식의 계산 순서 알아보기

덧셈과 뺄셈이 섞여 있고 (   )가 있는 식에서는 (   ) 안을 먼저 계산합니다.

$42-(16+9)=42-25=17$

① $16+9=25$

② $42-25=17$

• (   )가 없는 식과 있는 식의 계산 결과 비교하기

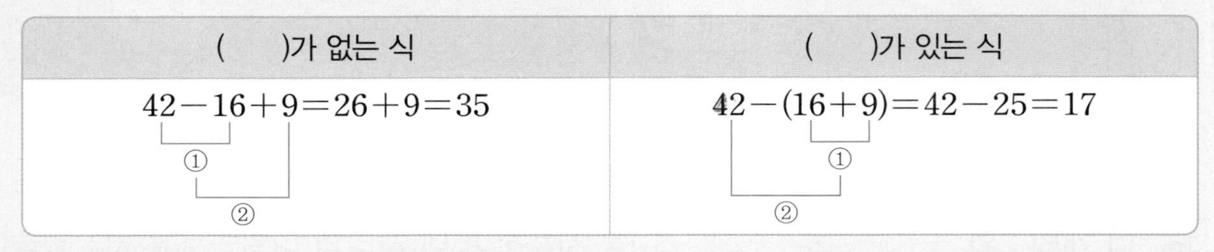

( )가 없는 식	( )가 있는 식
$42-16+9=26+9=35$	$42-(16+9)=42-25=17$

➔ 왼쪽 식은 앞에서부터 차례로 계산하지만 오른쪽 식은 괄호가 있어서 괄호 안을 먼저 계산하기 때문에 두 식의 계산 결과가 다를 수 있습니다.

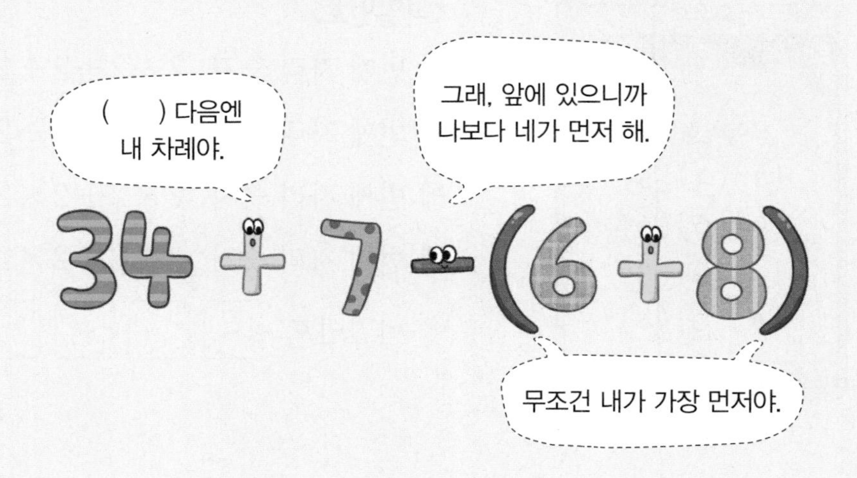

(   ) 다음엔 내 차례야.
그래, 앞에 있으니까 나보다 네가 먼저 해.
34+7-(6+8)
무조건 내가 가장 먼저야.

개념 확인 문제

정답과 풀이 p.1

1-1 □ 안에 알맞은 수를 써넣으세요.

(1) $47+14-26=$ □

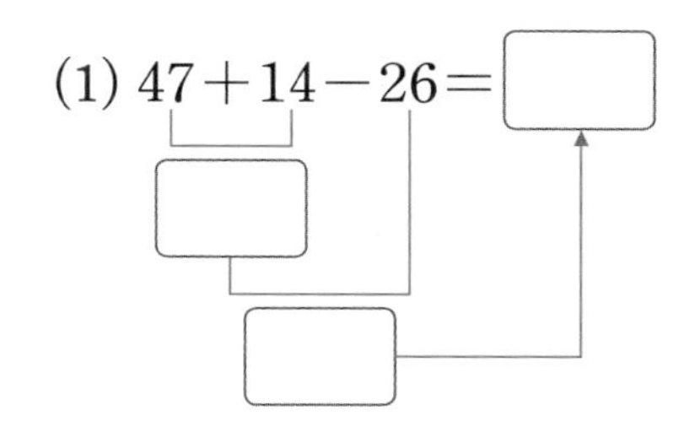

(2) $51-17+29=$ □

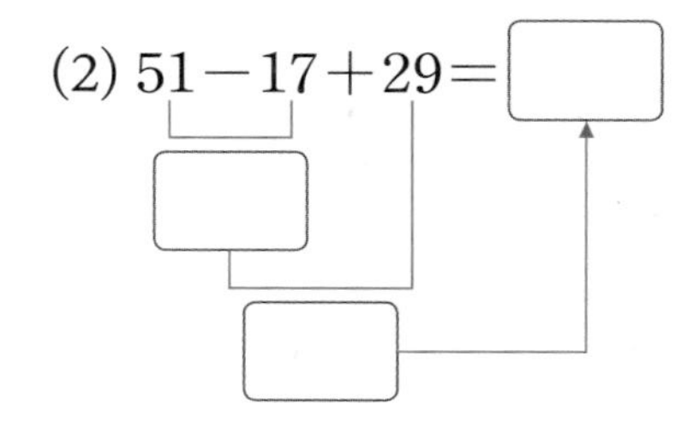

1-2 보기 와 같이 계산 순서를 나타내고 계산해 보세요.

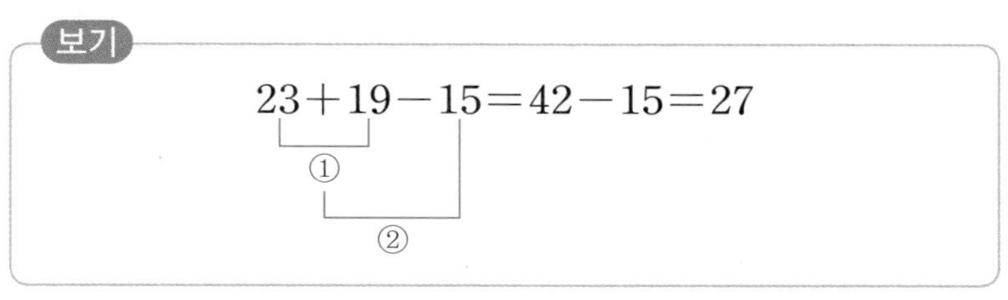
보기
$23+19-15=42-15=27$

(1) $60+14-37$

(2) $32-7+26$

1-3 □ 안에 알맞은 수를 써넣으세요.

(1) $24+(50-11)=$ □

(2) $60-(4+18)=$ □

1-4 계산 결과가 같으면 ○표, 다르면 ×표 하세요.

(1)

$55-29+16$

$55-(29+16)$

(　　　)

(2)

$47+25-19$

$47+(25-19)$

(　　　)

개념 2 곱셈과 나눗셈이 섞여 있는 식

- 곱셈과 나눗셈이 섞여 있는 식의 계산 순서 알아보기

곱셈과 나눗셈이 섞여 있는 식에서는 앞에서부터 차례로 계산합니다.

- 곱셈과 나눗셈이 섞여 있고 (　　)가 있는 식의 계산 순서 알아보기

곱셈과 나눗셈이 섞여 있고 (　　)가 있는 식에서는 (　　) 안을 먼저 계산합니다.

- (　　)가 없는 식과 있는 식의 계산 결과 비교하기

(　　)가 없는 식	(　　)가 있는 식
$96 \div 8 \times 4 = 12 \times 4 = 48$ (① $96 \div 8$, ② 12×4)	$96 \div (8 \times 4) = 96 \div 32 = 3$ (① 8×4, ② $96 \div 32$)

➔ 왼쪽 식은 앞에서부터 차례로 계산하지만 오른쪽 식은 괄호가 있어서 괄호 안을 먼저 계산하기 때문에 두 식의 계산 결과가 다를 수 있습니다.

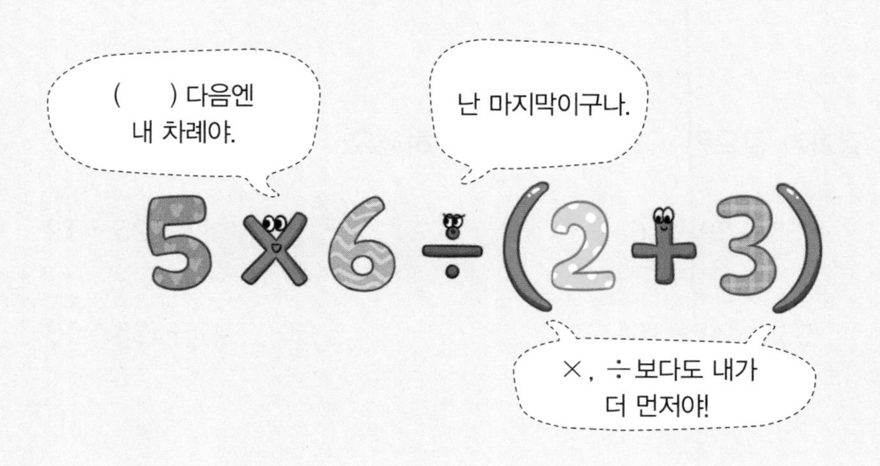

2-1 계산 순서를 바르게 나타낸 것에 ○표 하세요.

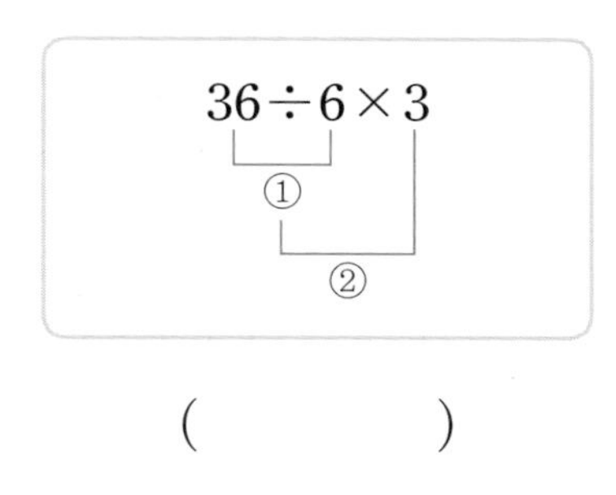

(   )

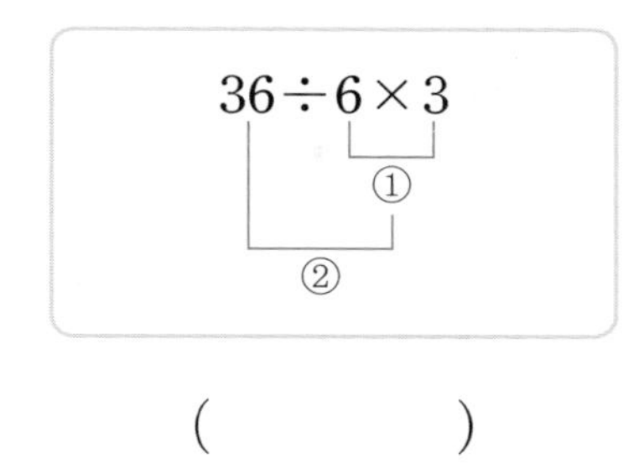

(   )

2-2 □ 안에 알맞은 수를 써넣으세요.

(1) $28 \div 4 \times 5 = \square \times \square$
$= \square$

(2) $8 \times 9 \div 36 = \square \div \square$
$= \square$

2-3 보기 와 같이 계산 순서를 나타내고 계산해 보세요.

보기

$6 \times (12 \div 3) = 6 \times 4$
$= 24$

① ($12 \div 3$), ② ($6 \times$ ①)

(1) $13 \times (24 \div 6)$

(2) $60 \div (5 \times 3)$

2-4 □ 안에 알맞은 수를 써넣으세요.

(1) $72 \div (2 \times 6) = \square \div \square$
$= \square$

(2) $105 \div (5 \times 7) = \square \div \square$
$= \square$

(3) $80 \div (4 \times 5) = \square \div \square$
$= \square$

(4) $96 \div (8 \times 3) = \square \div \square$
$= \square$

개념 3 덧셈, 뺄셈, 곱셈이 섞여 있는 식

덧셈, 뺄셈, 곱셈이 섞여 있는 식에서는 곱셈을 먼저 계산하고 (　　)가 있으면 (　　) 안을 가장 먼저 계산합니다.

괄호가 없는 식	괄호가 있는 식
$43-4\times7+16=43-28+16$ $=15+16$ $=31$ (① 4×7, ② $43-28$, ③ $15+16$)	$(43-4)\times7+16=39\times7+16$ $=273+16$ $=289$ (① $43-4$, ② 39×7, ③ $273+16$)

참고

덧셈, 뺄셈, 곱셈이 섞여 있는 식의 계산 순서

→ +, −는 앞에서부터 차례로 계산합니다.

곱셈은 항상 덧셈과 뺄셈보다 먼저 계산해요.

하지만 (　　)가 있으면 (　　) 안을 먼저 계산하지요.

개념 4 덧셈, 뺄셈, 나눗셈이 섞여 있는 식

덧셈, 뺄셈, 나눗셈이 섞여 있는 식에서는 나눗셈을 먼저 계산하고 (　　)가 있으면 (　　) 안을 가장 먼저 계산합니다.

괄호가 없는 식	괄호가 있는 식
$72-40\div8+15=72-5+15$ $=67+15$ $=82$ (① $40\div8$, ② $72-5$, ③ $67+15$)	$(72-40)\div8+15=32\div8+15$ $=4+15$ $=19$ (① $72-40$, ② $32\div8$, ③ $4+15$)

참고

덧셈, 뺄셈, 나눗셈이 섞여 있는 식의 계산 순서

( ) → ÷ → + −

→ +, −는 앞에서부터 차례로 계산합니다.

나눗셈은 항상 덧셈과 뺄셈보다 먼저 계산해요.

하지만 (　　)가 있으면 (　　) 안을 먼저 계산하지요.

개념 확인 문제

3-1 가장 먼저 계산해야 하는 부분에 ○표 하세요.

(1) $36-28+24\times2$　　　(2) $92-(13+7)\times4$

3-2 □ 안에 알맞은 수를 써넣으세요.

(1) $33-3\times8+8=33-\square+8$
$=\square+8$
$=\square$

(2) $26+3\times(15-8)=26+3\times\square$
$=26+\square$
$=\square$

4-1 계산 순서를 바르게 나타낸 것에 ○표 하세요.

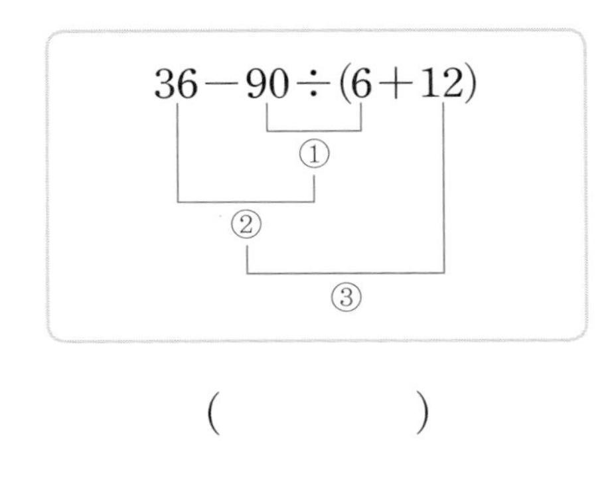

(　　　　)

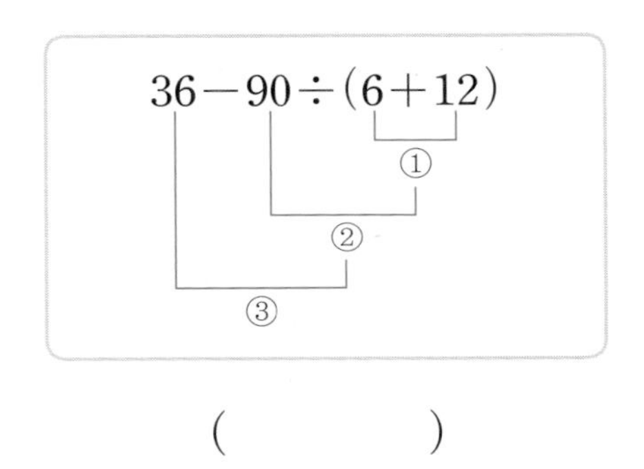

(　　　　)

4-2 □ 안에 알맞은 수를 써넣으세요.

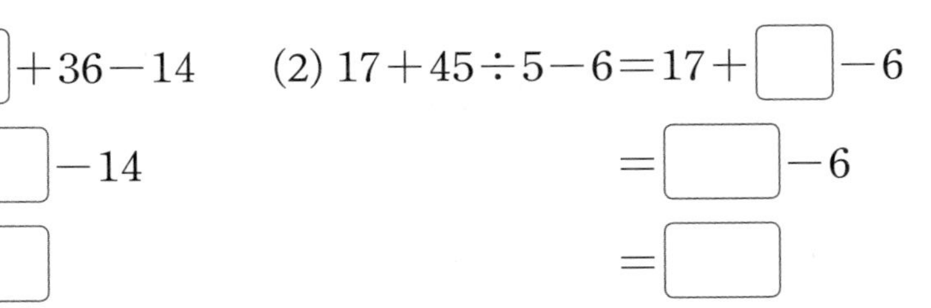

(1) $25\div5+36-14=\square+36-14$
$=\square-14$
$=\square$

(2) $17+45\div5-6=17+\square-6$
$=\square-6$
$=\square$

(3) $40-(62+29)\div7=40-\square\div7$
$=40-\square$
$=\square$

(4) $(63+33)\div8-5=\square\div8-5$
$=\square-5$
$=\square$

개념 5 덧셈, 뺄셈, 곱셈, 나눗셈이 섞여 있는 식

- 덧셈, 뺄셈, 곱셈, 나눗셈이 섞여 있는 식의 계산 순서 알아보기 → 곱셈과 나눗셈은 앞에서부터 차례로 계산합니다.

덧셈, 뺄셈, 곱셈, 나눗셈이 섞여 있는 식에서는 곱셈과 나눗셈을 먼저 계산합니다.

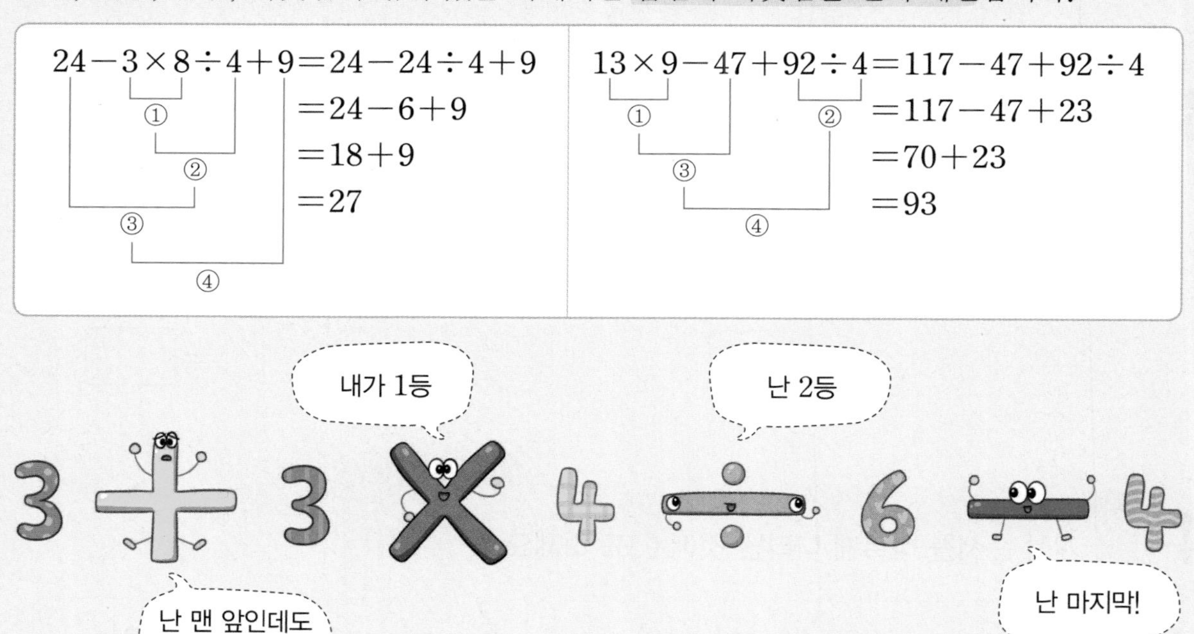

$24-3\times8\div4+9=24-24\div4+9$
$=24-6+9$
$=18+9$
$=27$

$13\times9-47+92\div4=117-47+92\div4$
$=117-47+23$
$=70+23$
$=93$

내가 1등
난 2등
난 맨 앞인데도 3등이네.
난 마지막!

- 덧셈, 뺄셈, 곱셈, 나눗셈이 섞여 있고 (   )가 있는 식의 계산 순서 알아보기

덧셈, 뺄셈, 곱셈, 나눗셈이 섞여 있고 (   )가 있는 식은 (   ) 안을 가장 먼저 계산하고 곱셈, 나눗셈 → 덧셈, 뺄셈 순으로 계산합니다.

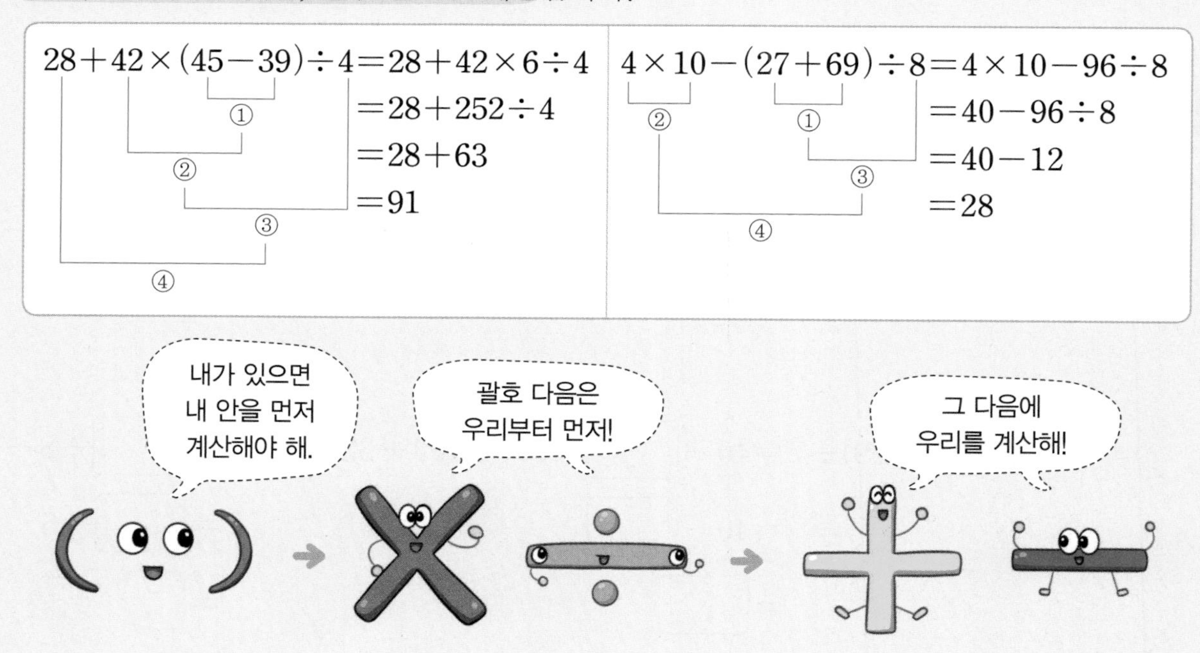

$28+42\times(45-39)\div4=28+42\times6\div4$
$=28+252\div4$
$=28+63$
$=91$

$4\times10-(27+69)\div8=4\times10-96\div8$
$=40-96\div8$
$=40-12$
$=28$

내가 있으면 내 안을 먼저 계산해야 해.
괄호 다음은 우리부터 먼저!
그 다음에 우리를 계산해!

정답과 풀이 p.3

5-1 계산 순서에 맞게 □ 안에 1부터 4까지 번호를 써넣으세요.

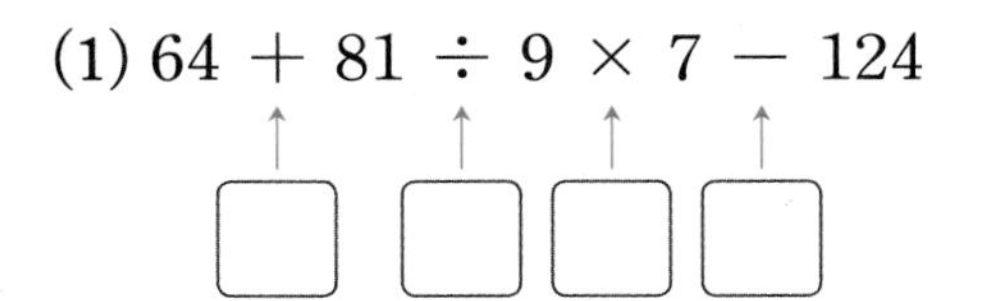

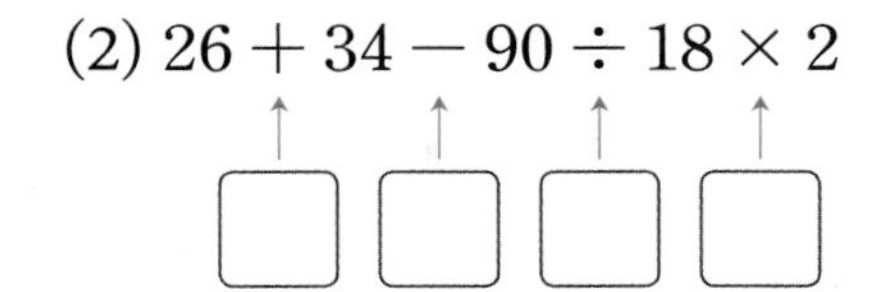

5-2 □ 안에 알맞은 수를 써넣으세요.

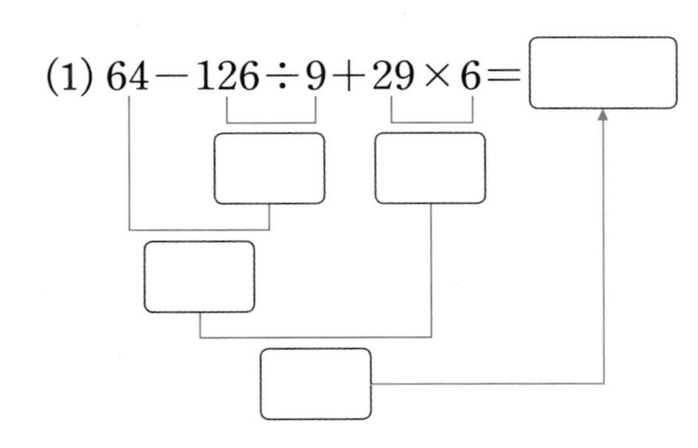

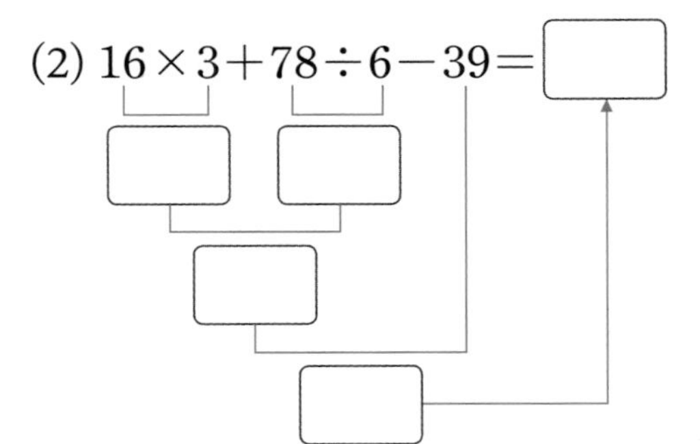

5-3 보기 와 같이 계산 순서를 나타내고 식을 계산해 보세요.

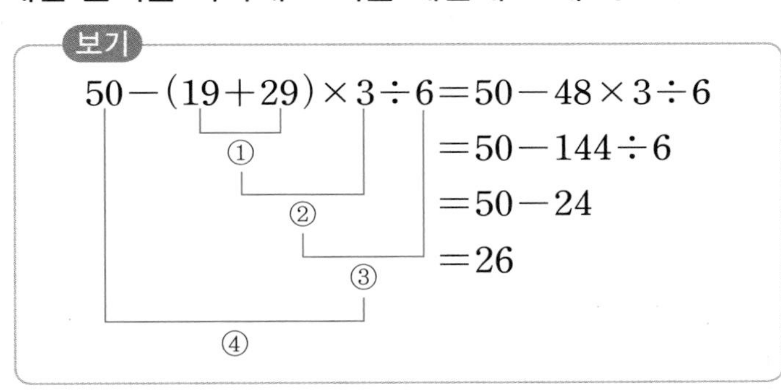

(1) $19\times5-91\div(3+4)$

(2) $(28+19)\times3-156\div13$

5-4 계산해 보세요.

(1) $675\div(5+4)-6\times11$

(2) $37-(16+4)\div5\times6$

PLAY 교과서 개념 스토리

순서 배치하기

준비물 붙임딱지

먼저 계산해야 하는 연산기호부터 순서에 맞게 연산기호 위쪽의 의자에 숫자 붙임딱지를 붙이고 식을 계산해 보세요.

70 − 6 × 7 + 21 = 49

98 − 63 + 10 × 2 =

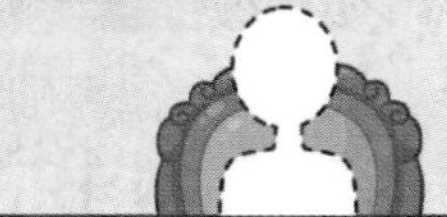

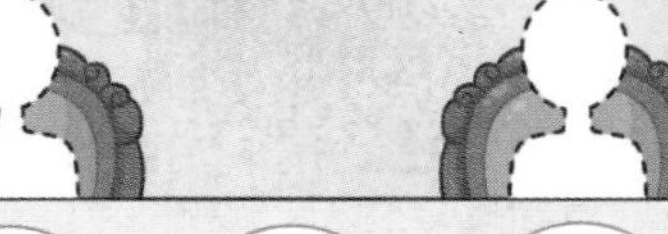

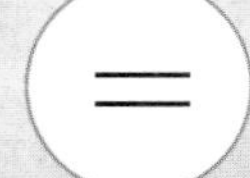

45 + 27 − 11 × 3 =

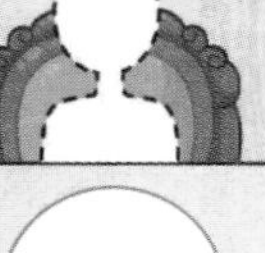

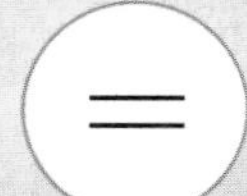

63 ÷ 7 + 8 × 4 =

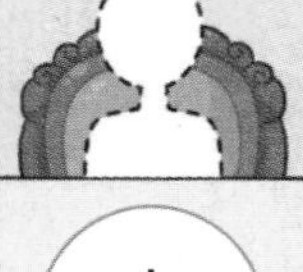
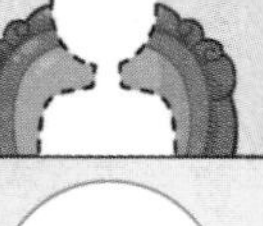
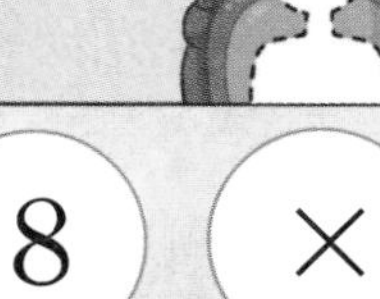

59 − 18 ÷ 6 × 2 =

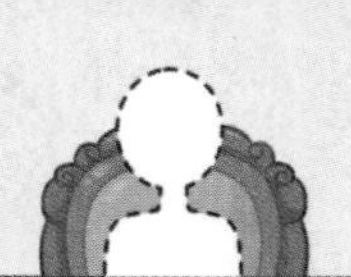
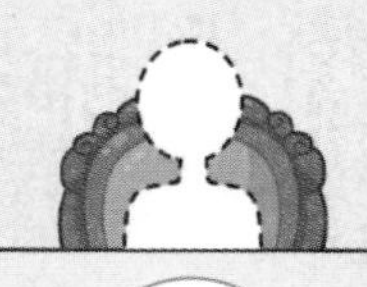
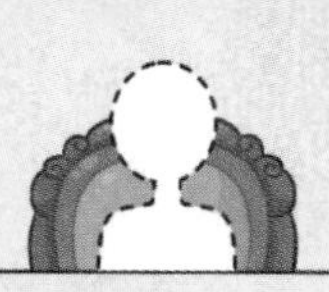

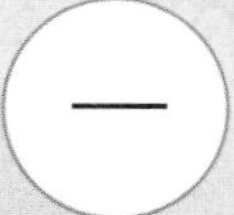

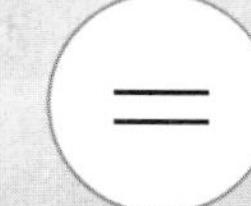

먼저 계산해야 하는 연산기호부터 순서에 맞게 연산기호 아래쪽 줄기에 튤립 붙임딱지를 붙이고 식을 계산해 보세요.

$85 + 28 \div (24 - 17) \times 9 =$ 121

4　2　1　3

$97 - 9 \times 45 \div (2 + 3) =$

$11 \times 7 + 85 \div 17 - 60 =$

$(8 + 10) \times (30 - 21) \div 3 =$

$27 - 6 \times 4 \div 8 + 11 =$

1 주

교과서

PLAY 교과서 개념 스토리 길 찾기

준비물 붙임딱지

도로시는 허수아비, 양철 나무꾼, 사자와 함께 에메랄드 시에 가려고 합니다. 가는 길에 숨어 있는 마녀와 함정을 피해 가려면 계산 결과가 바르게 쓰인 길로 가야합니다. 도로시 일행이 갈 수 있는 모든 길에 도로시 일행의 붙임딱지를 붙여 보세요.

$16 \div 4 + 12 \times 4 - 20$

32

28

$15 \div 3 \times 12 - 9$

30

10

51

12

$2 + 8 \times 7 - 48$

5

22

$25 + 14 \div 7 - 8 \times 2$

25

17

$70 \div (9 - 2) + 3 \times 4$

11

8

4

80

$24 + 3 \times (22 - 6) \div 12$

28

63

10

$10 + 9 \div 3 \times 25 - 5$

40

$(39 + 18) \div 3 - 2 \times 7$

5

2단계 교과서 개념 다지기

개념 1 덧셈과 뺄셈이 섞여 있는 식

01 두 식을 계산하고 알맞은 말에 ○표 하세요.

$37-19+6=\square$ $\qquad$ $37-(19+6)=\square$

➜ 두 식의 계산 결과는 (같습니다 , 다릅니다).

02 계산 결과를 비교하여 ○ 안에 $>$, $=$, $<$를 알맞게 써넣으세요.

$25+12-9$ 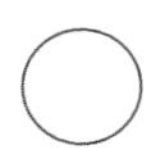 $50-27+15$

03 은주가 가지고 있는 연필은 모두 몇 자루일까요?

나는 연필 22자루 중에서 7자루를 동생에게 주고 11자루를 사왔어.

식 ____________________

답 ____________________

개념 2 곱셈과 나눗셈이 섞여 있는 식

04 계산 순서를 나타내고 계산해 보세요.

(1) $81 \div 9 \times 2$

(2) $3 \times 14 \div 7 \div 2$

05 계산 결과를 찾아 선으로 이어 보세요.

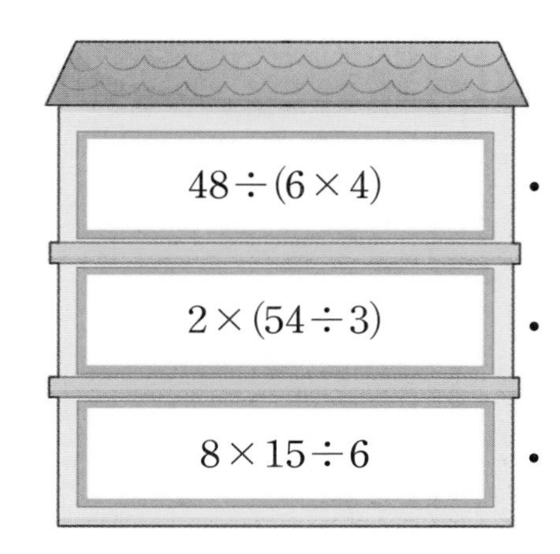

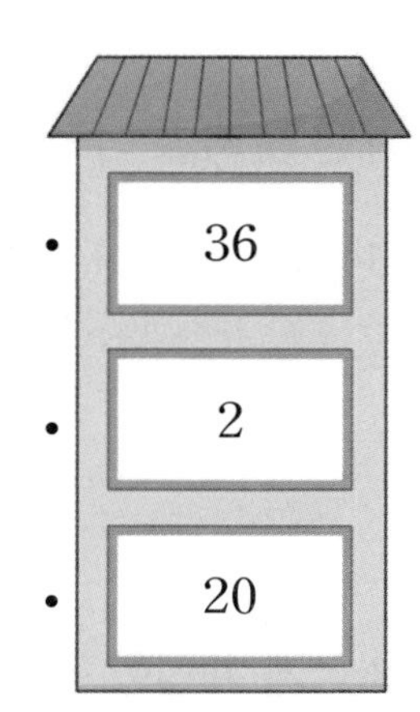

06 계산이 잘못된 곳을 찾아 바르게 고쳐 계산해 보세요.

$54 \div (9 \times 3) = 6 \times 3$
$= 18$

→

$54 \div (9 \times 3)$

07 달걀 2판을 6명에게 똑같이 나누어 주려고 합니다. 한 사람에게 몇 개씩 나누어 주면 되는지 하나의 식으로 나타내어 구해 보세요. (단, 달걀 1판은 30개입니다.)

달걀 1판

식 ____________________

답 ____________________

개념 3 덧셈, 뺄셈, 곱셈이 섞여 있는 식

08 가장 먼저 계산해야 하는 부분에 ○표 하세요.

(1) $24+8-2\times7$

(2) $28-(7+5)\times2$

09 계산 순서를 나타내고 계산해 보세요.

(1) $15+5\times9-27$

(2) $11\times(20-7)+19$

10 바르게 계산한 것에 ○표 하세요.

$26+2\times(16-9)=40$

(　　　)

$36+19-4\times5=255$

(　　　)

11 엄마와 아빠 중에서 누구의 나이가 더 많습니까?

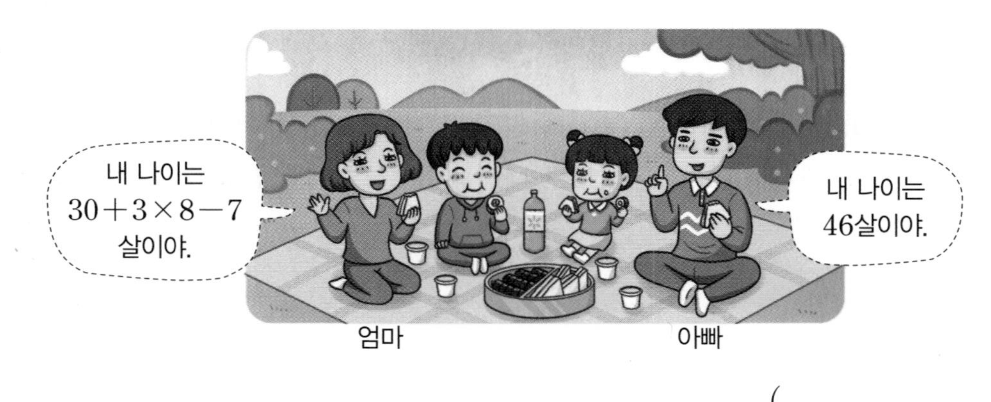

내 나이는 30+3×8−7 살이야.
내 나이는 46살이야.
엄마
아빠

(　　　　　　　　)

개념 4 덧셈, 뺄셈, 나눗셈이 섞여 있는 식

12 계산 순서에 맞게 □ 안에 1부터 3까지의 번호를 써넣으세요.

(1) $30 - 12 \div 4 + 7$

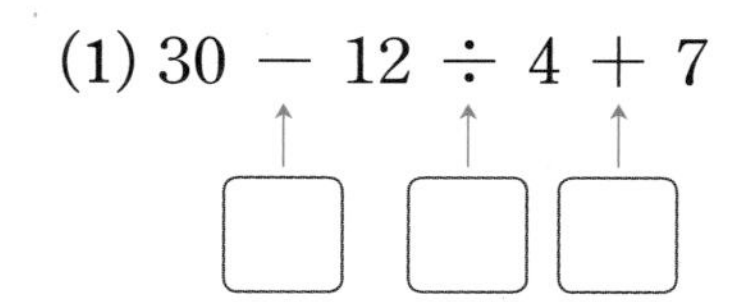

(2) $24 + 6 \div (3 - 1)$

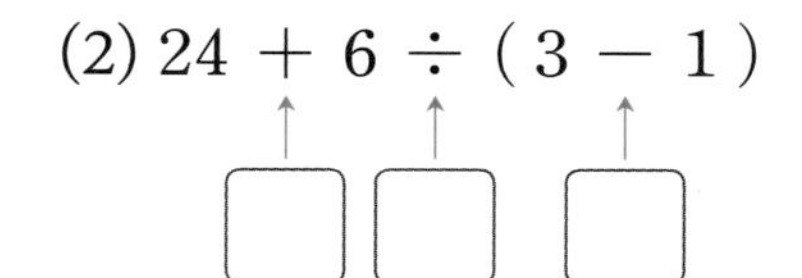

13 계산 결과가 같은 것끼리 선으로 이어 보세요.

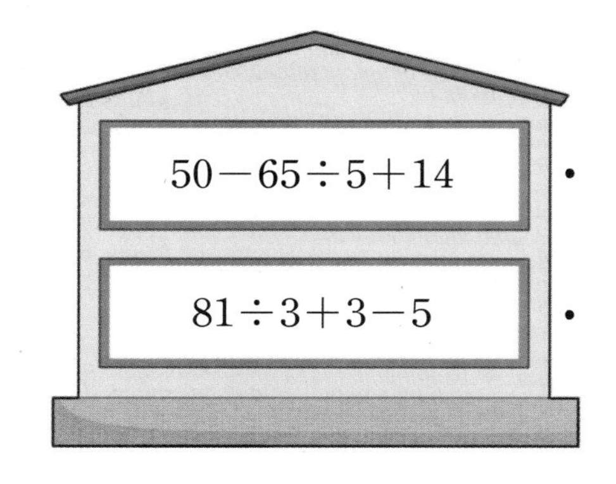

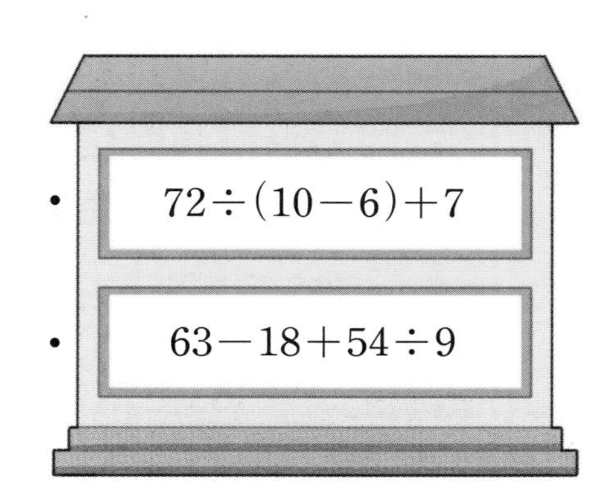

14 윤하가 나타내는 수를 구해 보세요.

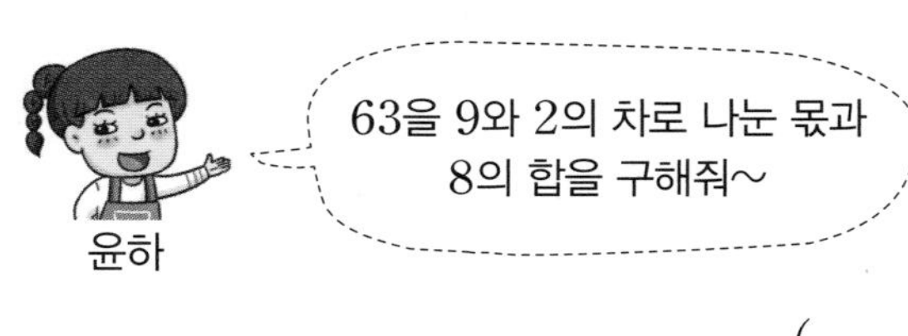

63을 9와 2의 차로 나눈 몫과
8의 합을 구해줘~
윤하

(　　　　　　　　)

15 사탕이 50개 있는데 사탕 13개를 더 사서 친구 9명에게 똑같이 나누어 주려고 합니다. 친구 1명에게 몇 개씩 나누어 줄 수 있는지 하나의 식으로 나타내어 구해 보세요.

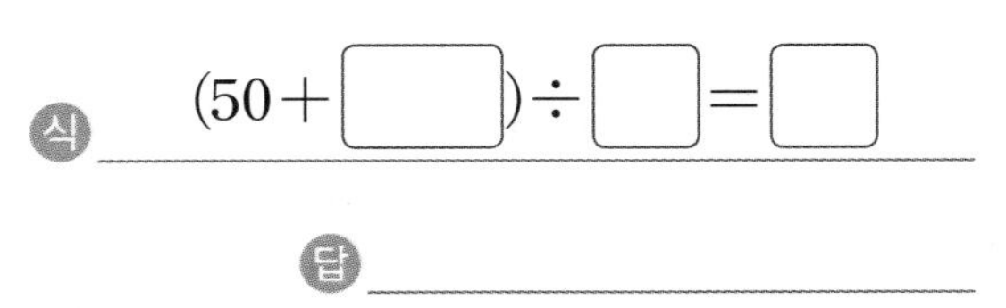

식 (50+□)÷□=□

답 ________________

2 단계 교과서 개념 다지기

개념 5 덧셈, 뺄셈, 곱셈, 나눗셈이 섞여 있는 식

16 계산 순서에 맞게 기호를 차례대로 써 보세요.

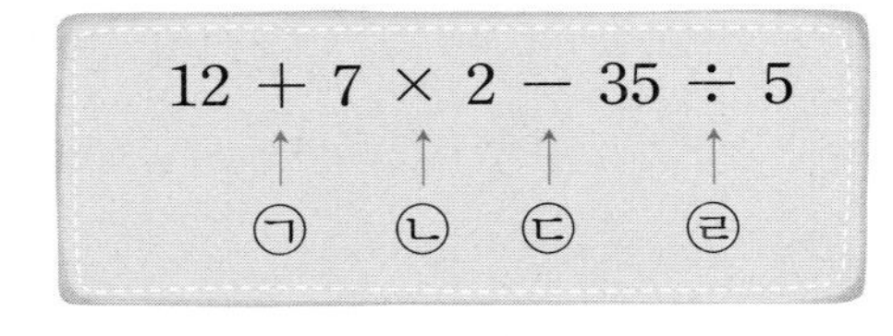

(   )

17 계산 순서를 나타내고 순서에 맞게 계산해 보세요.

(1) $80-(29+9)\times3\div6$

(2) $91-15\times4\div6+13$

18 계산 결과가 더 큰 것에 ○표 하세요.

$48\div8+(36-23)\times2$ (   )

$12\times4-(25+41)\div6$ (   )

19 두 식의 계산 결과의 차를 빈칸에 써넣으세요.

$13+(42-14)\times3\div7$ [   ] $13+42-14\times3\div7$

개념 6 하나의 식으로 나타내고 계산하기

20 보기 와 같이 ( )를 사용하여 두 식을 하나의 식으로 나타내어 보세요.

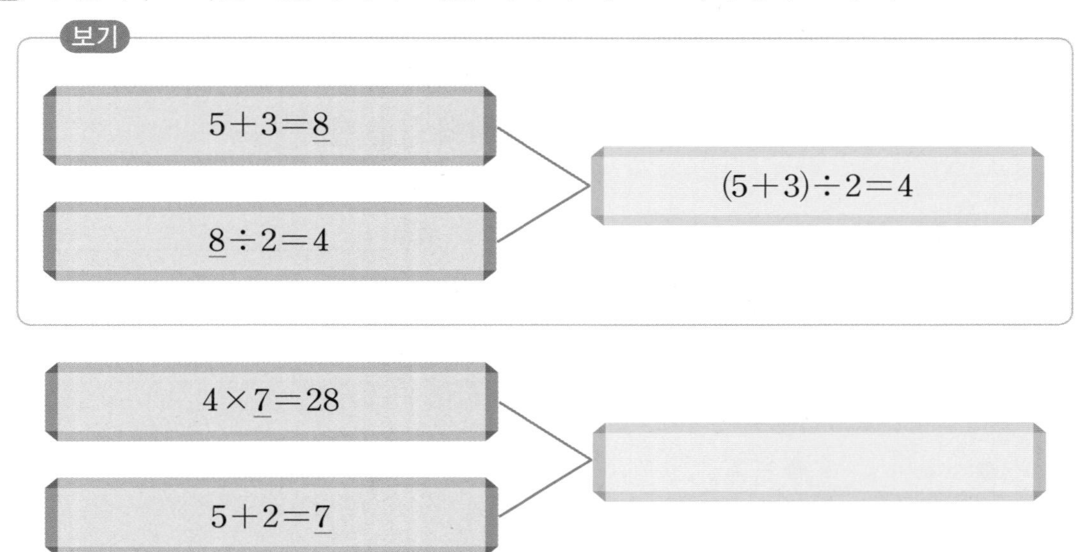

21 은주와 현서가 말한 두 식을 ( )를 사용하여 하나의 식으로 나타내어 보세요.

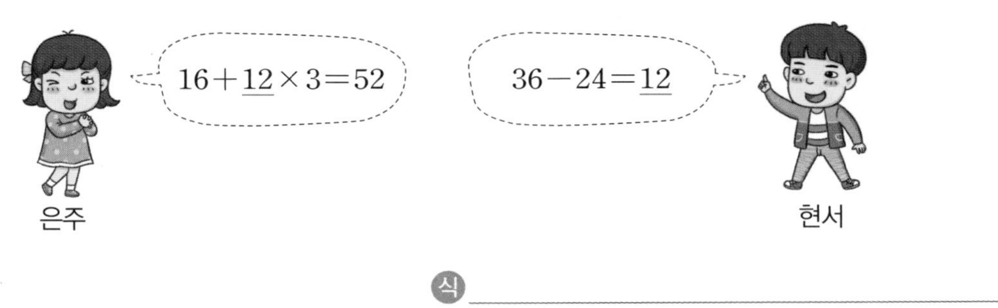

식 ______________________

22 두 식을 하나의 식으로 나타내어 보세요.

3단계 교과서 실력 다지기

★ 말을 식으로 나타내기

1 하나의 식으로 나타내고 계산해 보세요.

47에서 9와 4의 곱을 뺀 수

식 ____________________

답 ____________________

개념 피드백
- ■에서 ●와 ▲의 곱을 뺀 수 구하기

① ●와 ▲의 곱 ➔ ●×▲

② ■에서 ●×▲를 뺀 수 ➔ ■－●×▲

1-1 하나의 식으로 나타내고 계산해 보세요.

8과 10의 곱을 4로 나눈 몫에서 5를 뺀 수

식 ____________________

답 ____________________

1-2 (　　)를 사용하여 하나의 식으로 나타내고 계산해 보세요.

14보다 6 큰 수를 3배 한 수를 5로 나눈 몫

식 ____________________

답 ____________________

어떤 수 구하기

2 □ 안에 알맞은 수를 구해 보세요.

$$4 \times \square + 8 - 3 = 25$$

답 ______________

개념 피드백

• 어떤 수를 구하는 방법
① 계산 순서를 알아봅니다.
② 계산 순서를 거꾸로 생각하여 어떤 수를 구합니다.
③ 답이 맞는지 확인합니다.

2-1 얼룩진 부분에 알맞은 수를 구해 보세요.

$$(90 - ●) + 24 \div 6 = 85$$

(　　　　　　　　)

2-2 보물 상자를 열 수 있는 열쇠를 찾으려고 합니다. 다음을 읽고 어떤 열쇠로 열 수 있는지 알맞은 열쇠에 ○표 하세요.

어떤 수와 52를 더한 수를 9로 나눈 다음 3을 곱했더니 18이 되었다. 어떤 수가 적힌 열쇠를 찾아라. 그러면 보물 상자가 열릴 것이다.

★ 식이 성립하도록 ( )로 묶기

3 다음 식이 성립하도록 계산 순서가 달라지는 곳을 찾아 ( )로 묶어 보았습니다. 각각의 식을 계산하여 계산 결과가 76이 되는 식을 찾아 써 보세요.

$$46 + 14 - 9 \times 6 = 76$$

↓

$(46+14)-9\times6$ $46+(14-9)\times6$

답 ______________

개념 피드백
• 식이 성립하도록 ( )로 묶기
① ( )로 두 수를 묶었을 때 계산 순서가 달라지는 곳을 찾아 ( )로 묶어 봅니다.
② ①에서 묶은 ( ) 안을 먼저 계산하여 계산 결과가 맞는지 확인합니다.

3-1 다음 식이 성립하도록 ( )로 바르게 묶은 사람은 누구일까요?

$$37+35\div8-3=44$$

(37+35)÷8−3
예지

37+35÷(8−3)

민기

( )

3-2 다음 식이 성립하도록 두 수를 ( )로 묶어 보세요.

$$56 - 7 + 8 \times 6 \div 3 = 26$$

○ 안에 +, −, ×, ÷ 중 알맞은 기호 넣기

4 다음 식이 성립하도록 ○ 안에 +, −, ×, ÷ 중 알맞은 기호를 써넣으세요.

$20 \div 5 + 4 \bigcirc 2 - 3 = 9$

(1) +, −, ×, ÷를 각각 넣어서 계산해 봅니다.

❶ $20 \div 5 + 4 + 2 - 3 = \square$　　❷ $20 \div 5 + 4 - 2 - 3 = \square$

❸ $20 \div 5 + 4 \times 2 - 3 = \square$　　❹ $20 \div 5 + 4 \div 2 - 3 = \square$

(2) 답이 9가 나오는 경우는 ○ 안에 □가 들어갔을 경우입니다.

개념 피드백 +, −, ×, ÷를 각각 넣어서 계산해 보고, 식이 성립하는 경우를 찾습니다.

4-1 식이 성립하도록 ○ 안에 +, −, ×, ÷ 중 알맞은 기호를 써넣으세요.

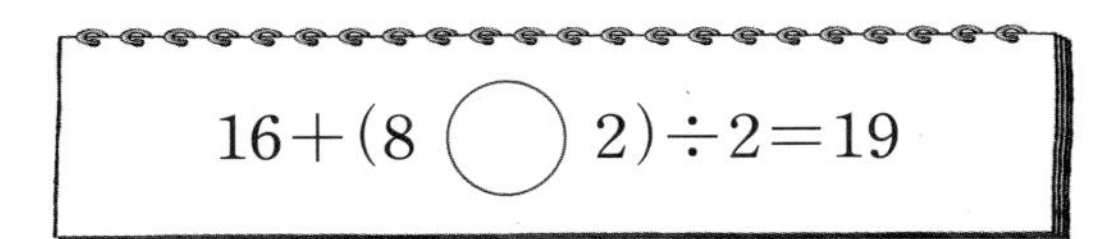

$16 + (8 \bigcirc 2) \div 2 = 19$

4-2 식이 성립하도록 ○ 안에 +, −, ×, ÷ 중 알맞은 기호가 적힌 카드를 가지고 있는 학생은 누구일까요?

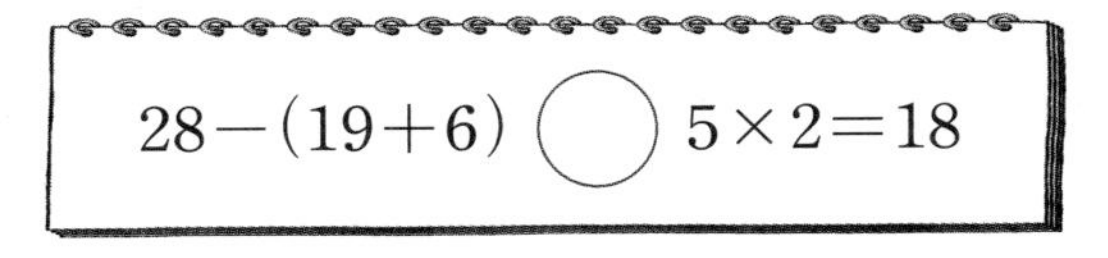

$28 - (19 + 6) \bigcirc 5 \times 2 = 18$

(　　　　　　　　)

☐ 안에 들어갈 수 있는 자연수 구하기

5 ☐ 안에 들어갈 수 있는 자연수를 모두 구해 보세요.

$$96 \div 8 \times \square < 48$$

(　　　　　　　　　　)

개념 피드백

- ☐ 안에 들어갈 수 있는 자연수 구하는 방법

① 주어진 식을 간단히 정리합니다.

② 조건을 만족하는 자연수를 모두 구합니다.

5-1 ☐ 안에 들어갈 수 있는 자연수가 적힌 문만 열립니다. 열리지 않는 문에 ×표 하세요.

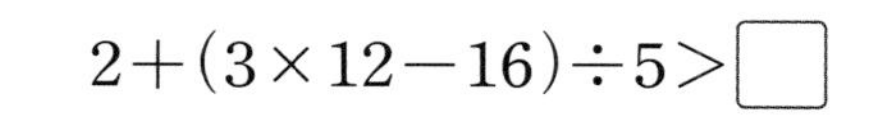

$$2 + (3 \times 12 - 16) \div 5 > \square$$

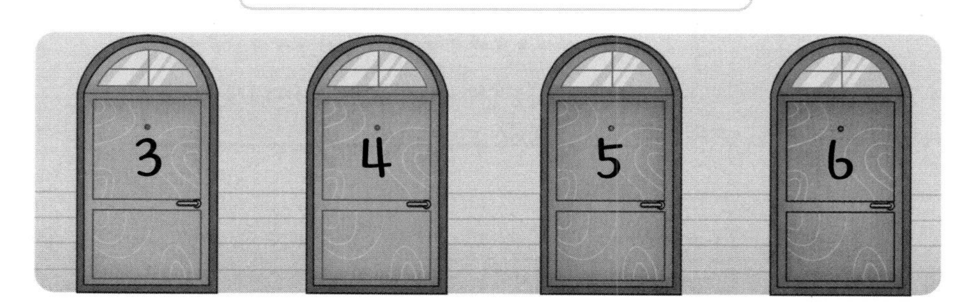

5-2 ☐ 안에 들어갈 수 있는 자연수를 모두 구해 보세요.

$$25 - 9 \times 8 \div 6 + \square < 20$$

(　　　　　　　　　　)

하나의 식으로 나타내어 해결하기

6 선호는 친구들과 분식집에서 떡볶이 2인분과 어묵 3개를 먹고 10000원을 냈습니다. 선호가 받은 거스름돈은 얼마인지 하나의 식으로 나타내어 구해 보세요.

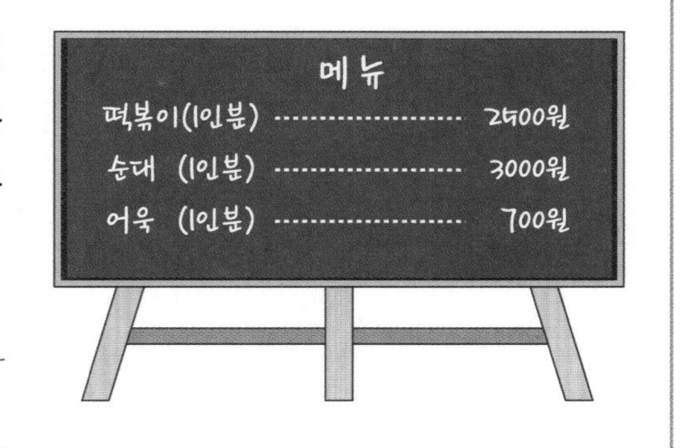

식 ____________________

답 ____________________

개념 피드백
- 문장을 보고 하나의 식으로 나타내는 방법
① 일이 일어나는 순서대로 식을 써 봅니다.
② 공통된 수를 찾아 하나의 식으로 나타냅니다.

6-1 서연이는 문구점에서 1100원짜리 볼펜 3자루와 2000원짜리 수첩 1권, 700원짜리 지우개 2개를 사고 10000원을 냈습니다. 서연이가 받은 거스름돈은 얼마인지 하나의 식으로 나타내어 구해 보세요.

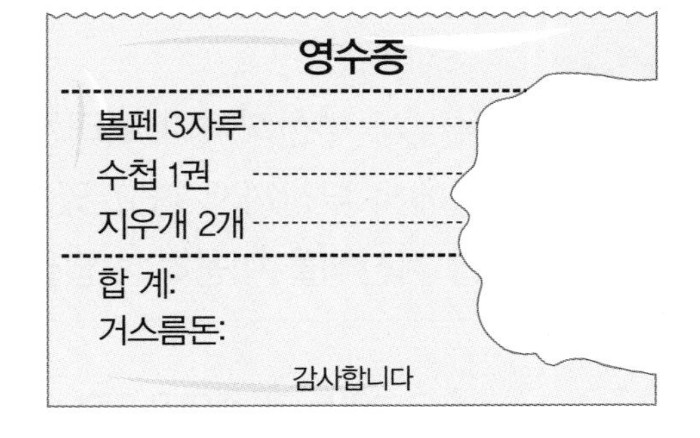

식 ____________________

답 ____________________

6-2 박람회에서 기념품 1000개를 5일 동안 관람객에게 매일 똑같은 수만큼 나누어 주려고 합니다. 첫날 오전에 남자 26명과 여자 54명에 기념품을 2개씩 나누어 주었습니다. 첫날 오후에 나누어 줄 수 있는 기념품은 몇 개인지 하나의 식으로 나타내어 구해 보세요.

식 ____________________

답 ____________________

1주 교과서

교과서 서술형 연습

서술형 연습 **1**

진주네 집에서 할아버지 댁까지의 거리는 284 km입니다. 진주네 집에서 출발하여 버스를 타고 한 시간에 70 km를 가는 빠르기로 할아버지 댁에 가고 있습니다. 지금까지 3시간을 갔다면 앞으로 남은 거리는 몇 km인지 혼합 계산식을 이용하여 답을 구해 보세요.

구하려는 것, 주어진 것에 선을 그어 봅니다.

해결하기 진주네 집에서 지금까지 간 거리는 ☐ × ☐ = ☐ (km)입니다.

남은 거리는 전체 거리에서 지금까지 간 거리를 빼면 됩니다.

하나의 식으로 나타내어 구해 보면

(남은 거리)=284−☐ × 3=284−☐ = ☐ (km)입니다.

답 구하기 ☐ km

서술형 실전 **2**

서울에서 부산까지의 거리는 440 km입니다. 자동차로 한 시간에 60 km를 가는 빠르기로 서울에서 부산까지 가고 있습니다. 지금까지 6시간을 갔다면 앞으로 남은 거리는 몇 km인지 혼합 계산식을 이용하여 답을 구해 보세요.

구하려는 것, 주어진 것에 선을 그어 봅니다.

해결하기

답 구하기

영수는 5자루에 6000원 하는 연필을 2자루 사고 5000원을 냈습니다. 영수가 받아야 하는 거스름돈은 얼마인지 혼합 계산식을 이용하여 답을 구해 보세요.

구하려는 것, 주어진 것에 선을 그어 봅니다.

해결하기 (연필 한 자루의 가격)= ☐ ÷ ☐ = ☐ (원)

(연필 두 자루의 가격)= ☐ × ☐ = ☐ (원)

거스름돈은 얼마인지 하나의 식으로 나타내어 구해 보면

☐ −6000 ÷ ☐ × ☐ = ☐ (원)입니다.

답 구하기 ☐ 원

서술형 실전
4

엄마는 3개에 4500원 하는 아보카도 1개와 5개에 7000원인 참외 2개를 사고 10000원을 냈습니다. 엄마가 받아야 하는 거스름돈은 얼마인지 혼합 계산식을 이용하여 답을 구해 보세요.

구하려는 것, 주어진 것에 선을 그어 봅니다.

해결하기

답 구하기

1 주 교과서

PLAY 사고력 개념 스토리

포포즈 게임

숫자 3과 +, −, ×, ÷를 이용하여 페페로니 사각피자와 시계를 완성하려고 합니다. 주어진 계산 결과가 나올 수 있도록 +, −, ×, ÷ 붙임딱지를 알맞게 붙여 보세요. (시계에서는 가리키는 눈금의 수가 계산 결과입니다.)

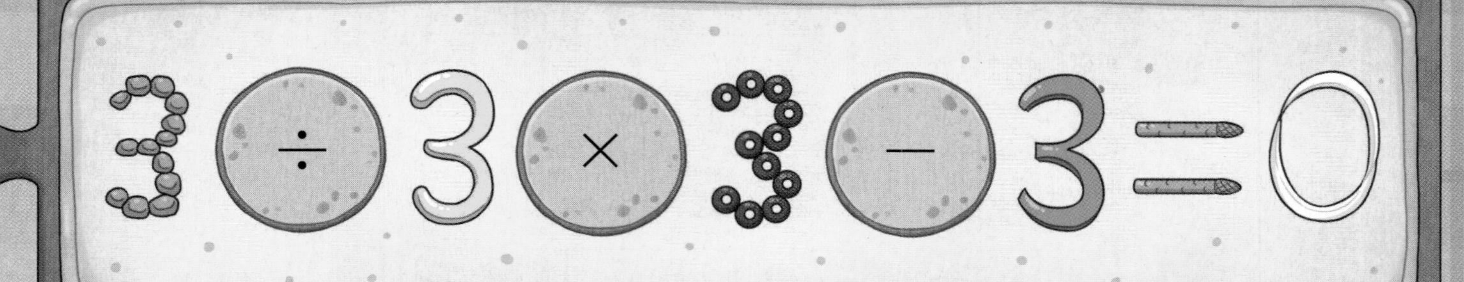

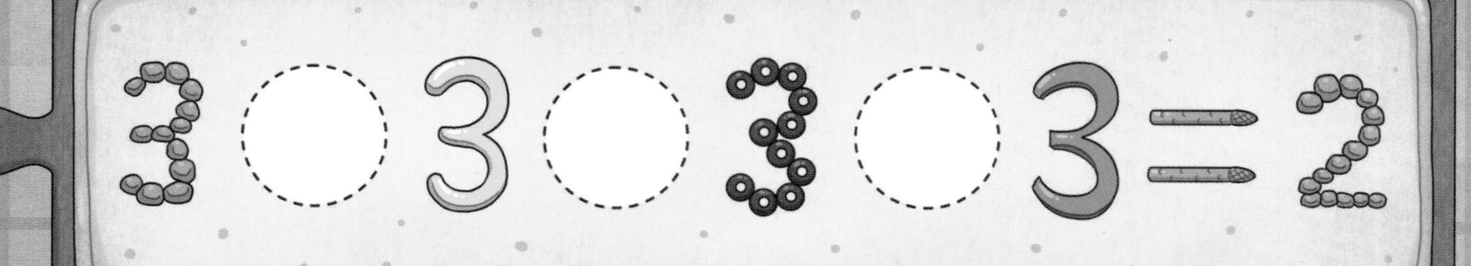

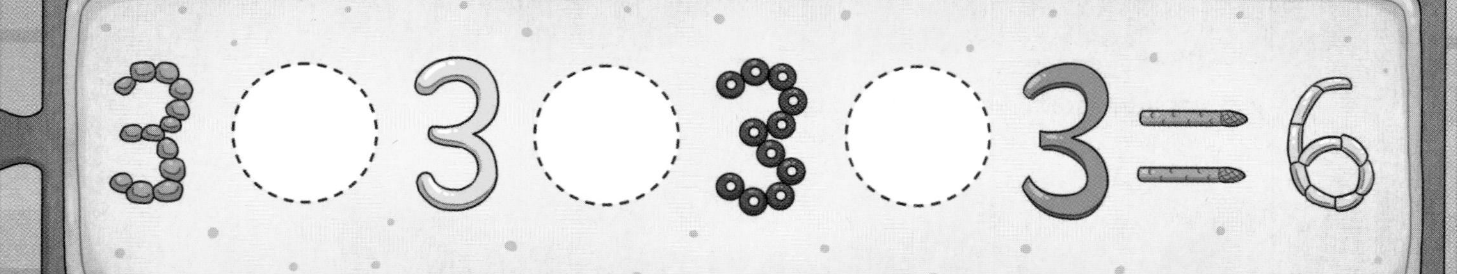

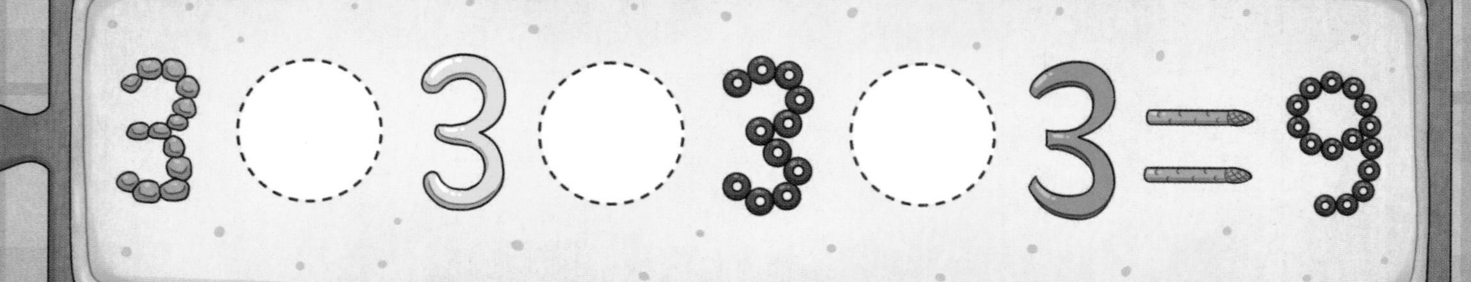

12
11
3 − 3 + 3 ÷ 3
2
3 ◯ 3 ◯ 3 ◯ 3
9
3 ◯ 3 ◯ 3 ◯ 3
3 ◯ 3 ◯ 3 ◯ 3
4
3 ◯ 3 ◯ 3 ◯ 3
7
6

사다리 타기

준비물 붙임딱지

주어진 수를 다음과 같이 사다리 타는 방법을 이용하였을 때 도착한 곳에 알맞은 계산 결과가 나오도록 ☐ 안에 들어갈 알맞은 수를 붙임딱지를 붙여 완성해 보세요.

<사다리 타는 방법>

- 출발점에서 아래로 내려가다가 만나는 다리는 반드시 옆으로 건너야 합니다.
- 아래와 옆으로만 이동할 수 있습니다.
- 지나가는 길에 있는 식은 차례로 모두 계산합니다.

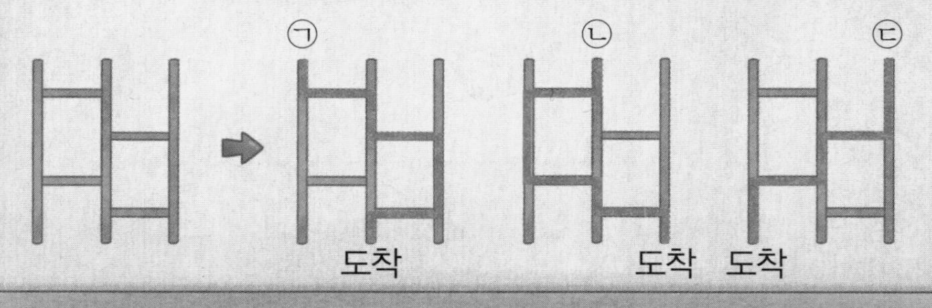

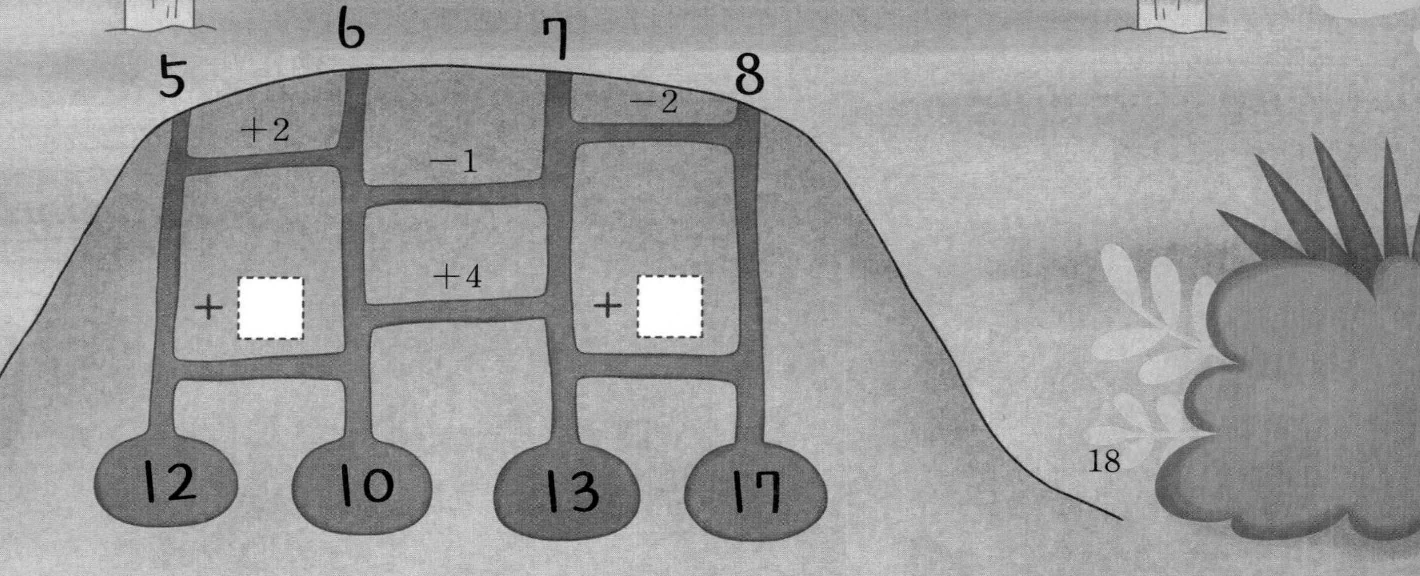

18

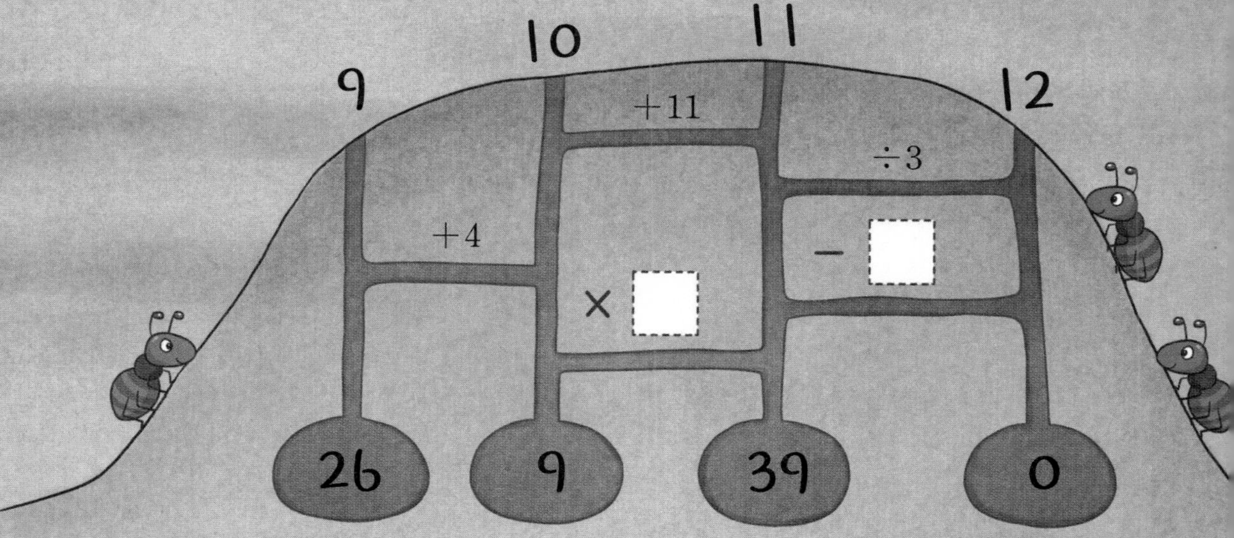

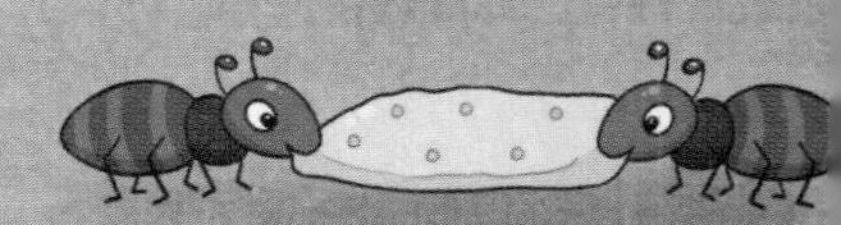

PLAY 사고력 개념 스토리

징검다리 완성하기

준비물 붙임딱지

식을 계산하여 징검다리 붙임딱지를 붙여 가로세로 퍼즐을 완성해 보세요.

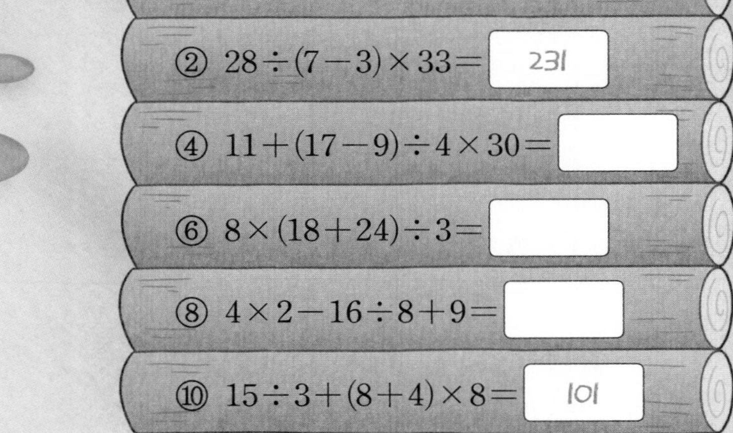

세로 징검다리

② $28 \div (7-3) \times 33 =$ 231

④ $11 + (17-9) \div 4 \times 30 =$

⑥ $8 \times (18+24) \div 3 =$

⑧ $4 \times 2 - 16 \div 8 + 9 =$

⑩ $15 \div 3 + (8+4) \times 8 =$ 101

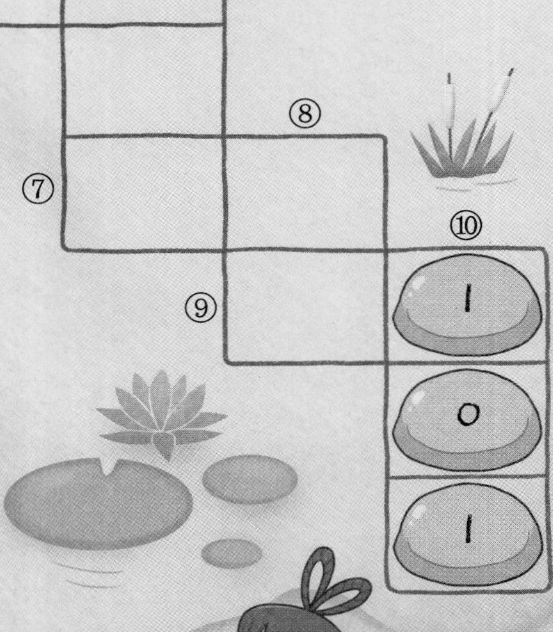

가로 징검다리

① $25 + 42 \div 6 - 2 \times 5 =$ 22

③ $(17+3) \times 6 - 13 =$

⑤ $(6+6) \div 4 + 8 =$

⑦ $36 - 24 \div 6 \times 8 + 17 =$

⑨ $55 - 6 \times (5+3) \div 12 =$

1 단계 교과 사고력 잡기

1 **소란이의 용돈 기입장입니다. 7월 17일에 남은 돈은 얼마인지 하나의 식으로 나타내어 구해 보세요.**

날짜	들어온 돈	나간 돈	남은 돈
7월 6일			2500원
7월 8일	5400원		
7월 12일		3200원	
7월 17일		2300원	

① 7월 8일에 남은 돈은 얼마일까요?

( )

② 7월 12일에 남은 돈은 얼마일까요?

( )

③ 7월 17일에 남은 돈은 얼마인지 하나의 식으로 나타내어 구해 보세요.

식 ______________________

답 ______________

2

수지는 친구들을 초대하여 맛있는 떡볶이를 만들어 먹으려고 합니다. 떡볶이 재료와 가격표를 보고 물음에 답하세요.

가격표	
떡볶이 떡 300 g	3000원
어묵 500 g	7500원
소세지 200g	5000원
달걀 1개	250원
양배추 1통	2000원

2 주 사고력

① 어묵 200 g은 얼마인지 하나의 식으로 나타내고 구해 보세요.

식 ______________________

답 ______________

② 수지가 떡볶이 재료를 사는 데 필요한 돈은 얼마인지 하나의 식으로 나타내어 구해 보세요.

식 ______________________

답 ______________

③ 용돈 20000원으로 떡볶이 재료를 사고 남은 돈은 얼마인지 하나의 식으로 나타내고 구해 보세요.

식 ______________________

답 ______________

3

길이가 12 cm인 색 테이프 8장을 3 cm씩 겹쳐서 길게 이어 붙이려고 합니다. 이어 붙인 색 테이프의 전체 길이는 몇 cm인지 하나의 식으로 나타내어 답을 구해 보세요.

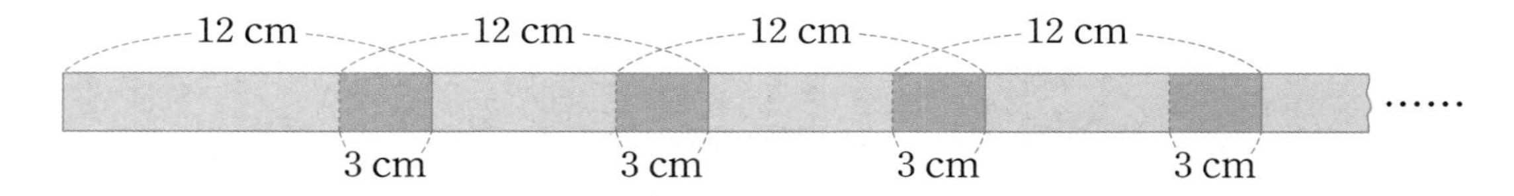

1. 색 테이프 8장의 길이를 구해 보세요.

   □ × □ = □ (cm)

2. 색 테이프 8장을 이어 붙이면 겹쳐진 부분은 몇 군데인지 구해 보세요.

   8 − □ = □ (군데)

3. 겹쳐진 부분의 길이의 합을 구해 보세요.

   □ × (8 − □) = □ (cm)

4. 이어 붙인 색 테이프 전체 길이를 하나의 식으로 나타내고 구해 보세요.

   식 ______________________

   답 ____________

2주 사고력

4

다음은 용빈이의 가족의 나이를 설명한 것입니다. 용빈이의 가족의 나이를 각각 구해 보세요.

동생의 나이는 나의 나이의 2배보다 15살이 적습니다. 엄마의 나이는 동생의 나이의 4배보다 5살이 많고, 아빠의 나이는 나와 동생의 나이의 합의 2배보다 3살 많습니다.
용빈이는 12살!
용빈

1. 동생의 나이를 하나의 식으로 나타내어 구해 보세요.

식 ______________________

답 ______________________

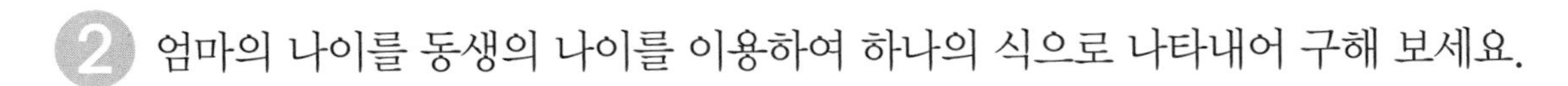

2. 엄마의 나이를 동생의 나이를 이용하여 하나의 식으로 나타내어 구해 보세요.

식 ______________________

답 ______________________

3. 아빠의 나이를 동생의 나이를 이용하여 하나의 식으로 나타내어 구해 보세요.

식 ______________________

답 ______________________

1 **성냥개비로 삼각형을 만들고 있습니다. 삼각형을 12개 만들려면 성냥개비는 모두 몇 개 필요한지 하나의 식으로 나타내어 답을 구해 보세요.**

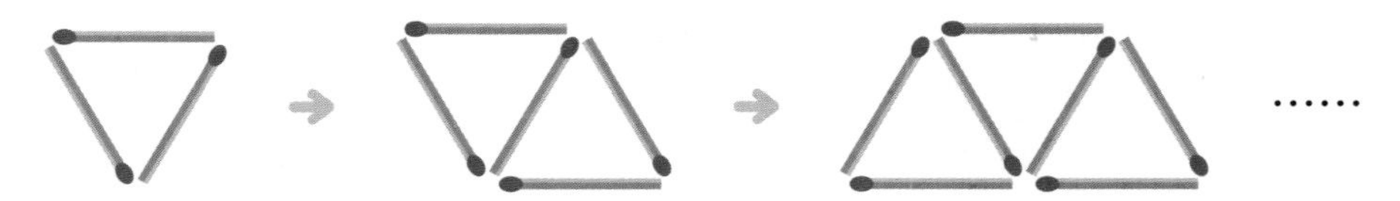

1 성냥개비의 수를 구하는 방법을 설명해 보세요.

처음 삼각형을 만드는 데 필요한 성냥개비의 수는 □개이고 삼각형이 1개씩 늘어날 때마다 성냥개비는 □개씩 늘어납니다.

2 삼각형의 수와 성냥개비의 수를 비교하여 표를 완성해 보세요.

삼각형의 수(개)	성냥개비의 수(개)
1	3
2	3+2×□=□
3	3+2×□=□
4	3+□×□=□
5	3+□×□=□
⋮	⋮

3 □ 안에 알맞은 수를 써넣으세요.

♥개의 삼각형을 만드는 데 필요한 성냥개비의 수를 식으로 나타내면 □+□×(♥−1)입니다.

4 삼각형을 12개 만들려면 성냥개비는 모두 몇 개 필요한지 하나의 식으로 나타내어 답을 구해 보세요.

식 ______________________

답 ______________________

2

수 카드 1, 4, 6, 8 을 한 번씩만 사용하여 다음과 같은 식을 만들어 가장 큰 값을 넣으면 불이 켜지고, 가장 작은 값을 넣으면 불이 꺼지는 스위치를 만들려고 합니다. 계산 결과가 가장 클 때와 가장 작을 때의 값은 얼마인지 계산 결과를 각각 구해 보세요.

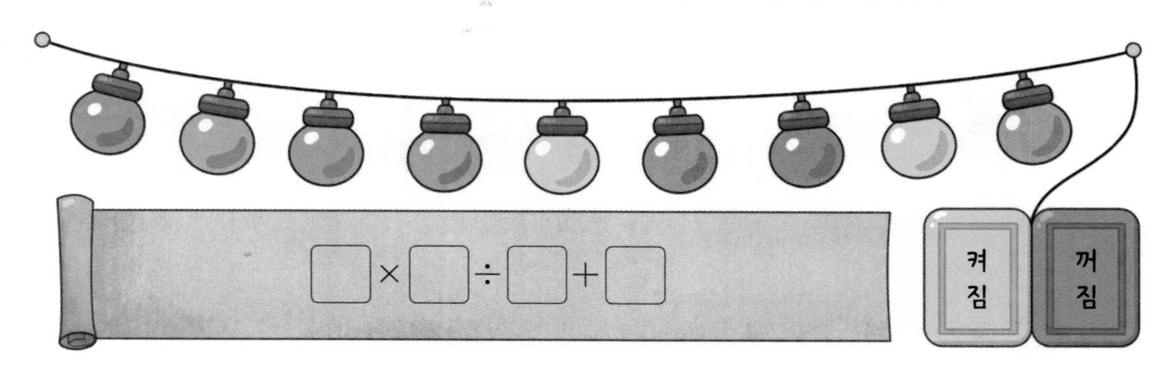

1. 다음 식에 계산 순서를 나타내어 보세요.

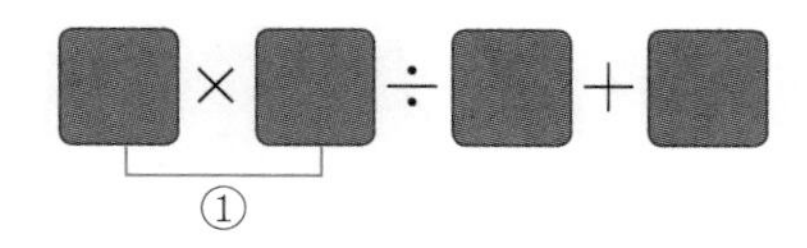

2. 계산 결과가 가장 큰 수가 되도록 □ 안에 알맞은 수를 써넣으세요.

□×□÷□+□=□

3. 계산 결과가 가장 작은 수가 되도록 □ 안에 알맞은 수를 써넣으세요.

□×□÷□+□=□

3 $A♥B=(A+4)\times B\div 2-33$**과 같이 약속합니다. 다음 연산 규칙 로봇에 A와 B를 입력하여 출력한 값을 다시 A로 입력하고 B는 계속 같은 값을 입력한다면 처음에 A=6, B=8을 입력하여 3회에 출력한 값을 구해 보세요.**

❶ A=6, B=8을 넣었을 때 1회에 출력한 값은 얼마일까요?

❷ 위 ❶에서 출력한 값을 A의 □ 안에 넣고 B의 값은 8을 그대로 넣었을 때 2회에 출력한 값은 얼마일까요?

❸ 위 ❷에서 출력한 값을 A의 □ 안에 넣고 B의 값은 8을 그대로 넣었을 때 3회에 출력한 값은 얼마일까요?

4 **점심 메뉴를 고르는 사다리를 만들었습니다. 계산 결과가 가장 큰 것을 따라 사다리를 타면 점심으로 무엇을 먹게 될까요?**

<사다리 타는 방법>

- 출발점에서 아래로 내려가다가 만나는 다리는 반드시 옆으로 건너야 합니다.
- 아래와 옆으로만 이동할 수 있습니다.

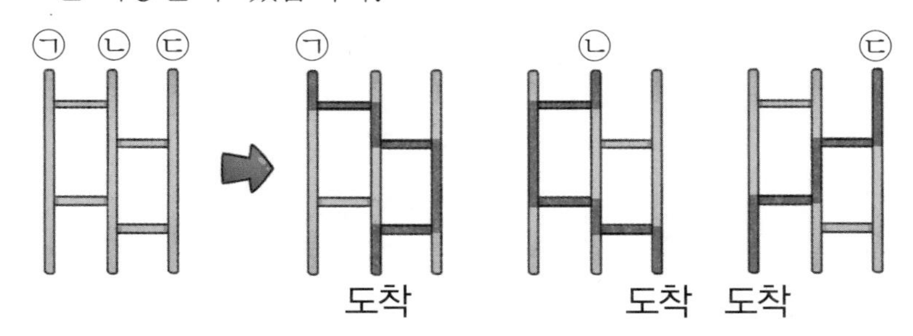

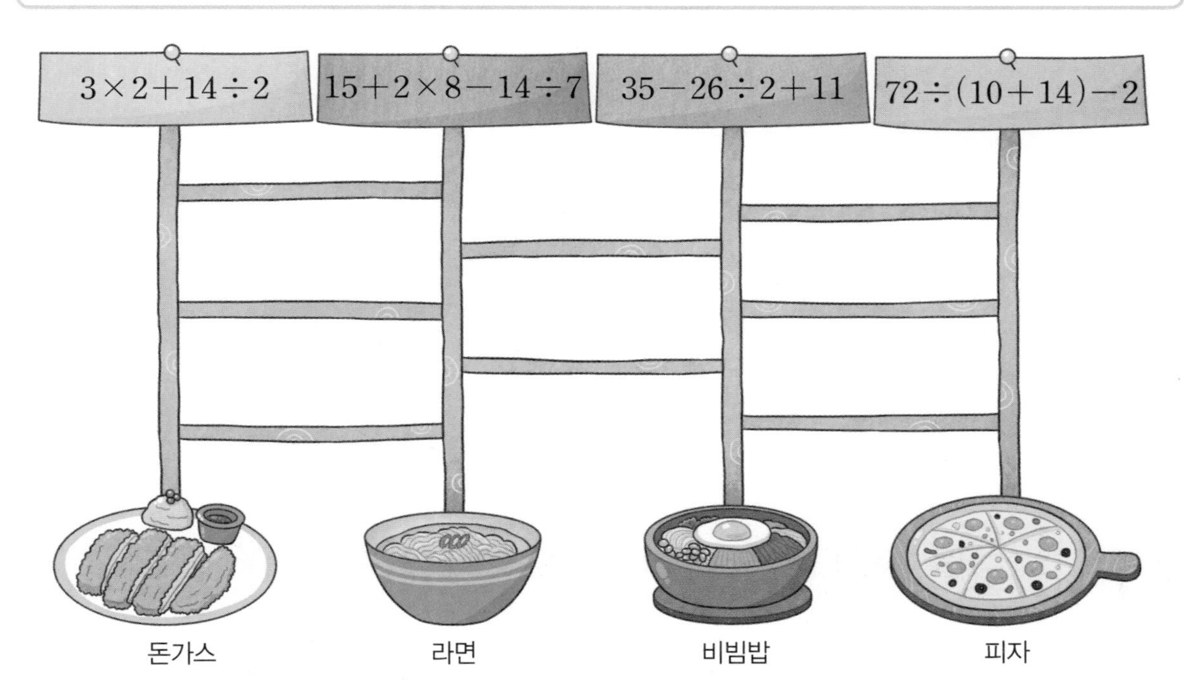

1 주어진 계산식을 각각 계산해 보세요.

(1) $3\times2+14\div2=$ ☐

(2) $15+2\times8-14\div7=$ ☐

(3) $35-26\div2+11=$ ☐

(4) $72\div(10+14)-2=$ ☐

2 점심으로 먹게 될 음식은 무엇일까요? 위의 사다리에 길을 직접 표시한 후 구해 보세요.

( )

3 단계 교과 사고력 완성

평가 영역 □개념 이해력 ☑개념 응용력 □창의력 □문제 해결력

1 가◎나를 다음과 같이 약속할 때 20◎4의 값은 얼마인지 구해 보세요.

약속

가◎나=가÷나+가−나

① 주어진 식을 약속된 식으로 나타내어 차례로 계산해 보세요.

20◎4=□÷□+□−□
=□+□−□
=□−□
=□

② 20◎4의 값은 얼마일까요?

(　　　　　　　　　　)

2 $\begin{pmatrix} ㉠ & ㉡ \\ ㉢ & ㉣ \end{pmatrix}$을 다음과 같이 약속할 때 주어진 식의 값을 구해 보세요.

약속

$\begin{pmatrix} ㉠ & ㉡ \\ ㉢ & ㉣ \end{pmatrix}$=㉠×㉣−㉡×㉢

① $\begin{pmatrix} 2 & 3 \\ 4 & 7 \end{pmatrix}=\square$

② $\begin{pmatrix} 5 & 4 \\ 8 & 10 \end{pmatrix}=\square$

③ $\begin{pmatrix} 15 & 12 \\ 5 & 6 \end{pmatrix}=\square$

④ $\begin{pmatrix} 27 & 5 \\ 15 & 3 \end{pmatrix}=\square$

정답과 풀이 p.11

수의 개념이나 어떤 일의 처리 과정을 그림으로 나타낸 것을 순서도라고 합니다.

평가 영역 □개념 이해력 □개념 응용력 □창의력 ☑문제 해결력

3

보기 의 순서도를 보고 오른쪽 순서도에서 처리되어 나오는 값을 구해 보세요.

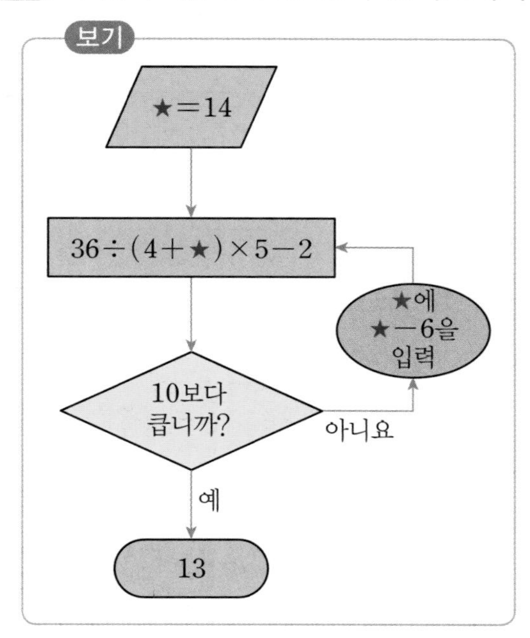

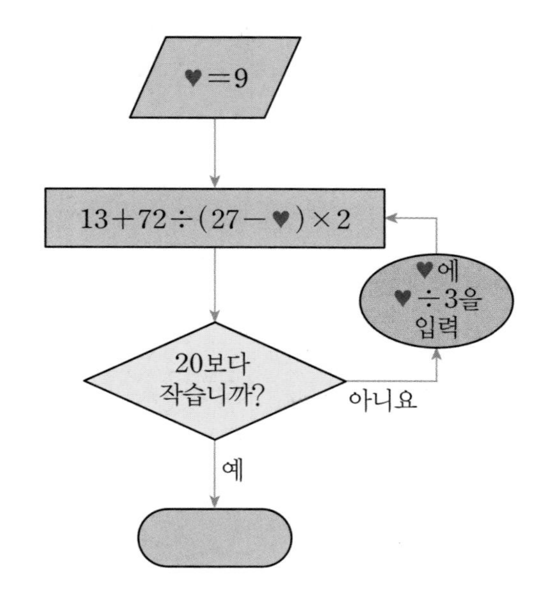

2주 사고력

1 ♥에 9를 넣었을 때 $13+72\div(27-♥)\times2$를 계산해 보세요.

(　　　　　　　　　　)

2 위 **1**의 답을 보고 바르게 설명한 학생은 누구일까요?

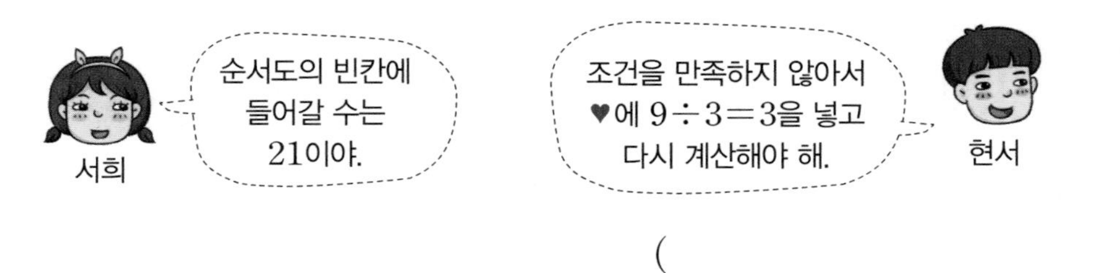

순서도의 빈칸에
들어갈 수는
21이야.
서희
조건을 만족하지 않아서
♥에 9÷3=3을 넣고
다시 계산해야 해.
현서

(　　　　　　　　　　)

3 순서도의 빈칸에 들어갈 알맞은 수를 구해 보세요.

(　　　　　　　　　　)

1

□ 안에 알맞은 수를 써넣으세요.

(1) $63-39+16=$ □

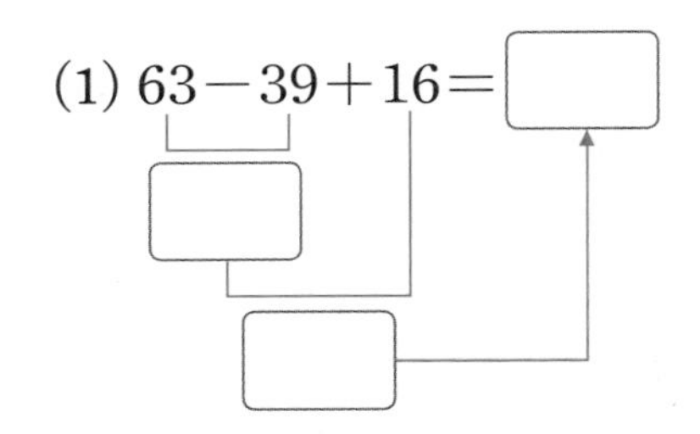

(2) $48\div8\times7=$ □

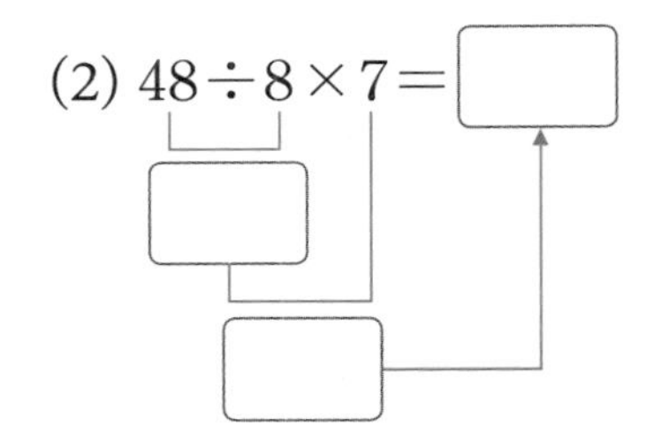

2

계산 순서에 맞게 기호를 차례로 써 보세요.

$$105 - (35 \div 7 + 12) \times 4$$

㉠ (−), ㉡ (÷), ㉢ (+), ㉣ (×)

(　　　　　　　　)

3

계산해 보세요.

(1) $72\div9\times2+28$

(2) $(13+32)\div3\times7$

4

두 식의 계산 결과가 같으면 ○표, 다르면 ×표 하세요.

$(16+4)\times5$	$16+4\times5$

(　　　)

5 계산이 잘못된 곳을 찾아 바르게 고쳐 계산해 보세요.

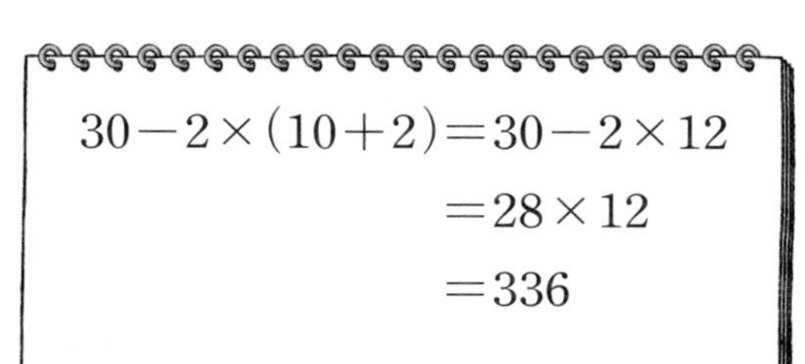

➜

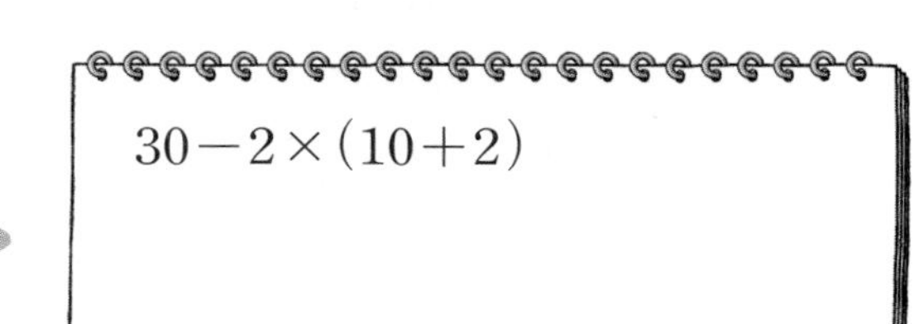

6 계산 결과를 비교하여 ◯ 안에 >, =, <를 써넣으세요.

52＋17×3－38÷2 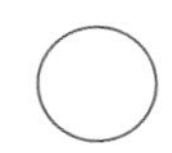 70＋28×2÷8－13

7 두 식의 계산 결과의 합을 구해 보세요.

- 10＋8×(11－8)÷4
- 12＋54÷9×3－7

(　　　　　　　　　　)

8 하나의 식으로 나타내고 계산해 보세요.

45를 20과 11의 차로 나눈 몫을 4배 한 수

 ______________________

답 ______________________

9 밑줄 친 수를 생각하여 빈칸에 두 식을 하나의 식으로 나타내어 보세요.

$50-12\times3=\underline{14}$

$\underline{14}+35\div7=19$

10 우리 반 학생들을 몇 팀으로 나눌 수 있는지 하나의 식으로 나타내어 구해 보세요.

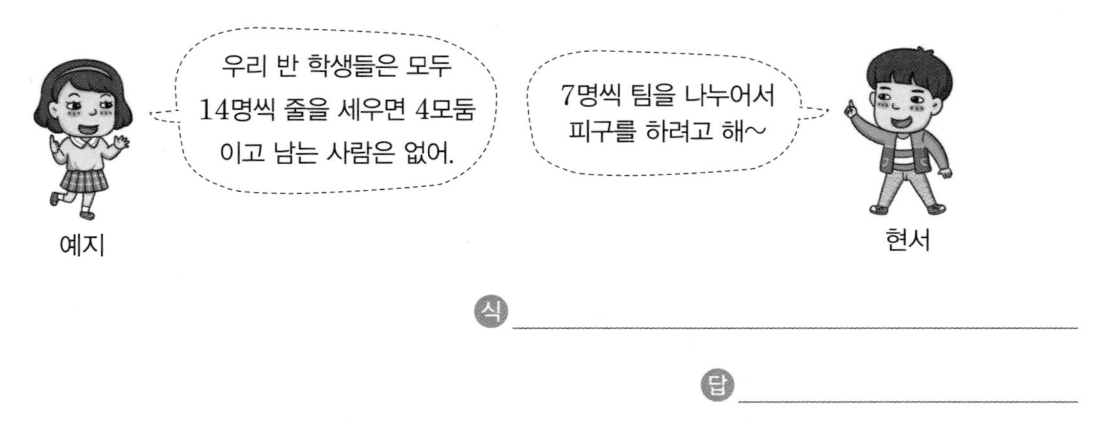

우리 반 학생들은 모두 14명씩 줄을 세우면 4모둠이고 남는 사람은 없어.
7명씩 팀을 나누어서 피구를 하려고 해~
예지
현서

식 ____________________

답 ____________________

11 연필 한 타는 6000원이고 지우개 3개의 가격은 1200원입니다. 가영이는 연필 5자루와 지우개 1개를 사고 5000원을 냈습니다. 가영이가 받은 거스름돈은 얼마인지 하나의 식으로 나타내어 구해 보세요.

(→ 연필 한 타는 12자루입니다.)

식 ____________________

답 ____________________

12 □ 안에 알맞은 수를 구해 보세요.

$(17+\square)\div8\times4=28$

(　　　　　　　　)

13 길이가 14 cm인 색 테이프 5장을 4 cm씩 겹쳐지게 길게 이어 붙였습니다. 이어 붙인 색 테이프 전체의 길이는 몇 cm일까요?

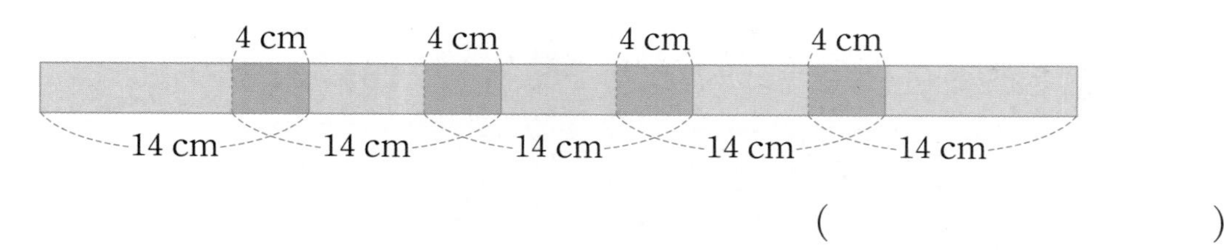

(　　　　　　　　　　)

14 1부터 9까지의 자연수 중에서 □ 안에 들어갈 수 있는 수를 모두 구해 보세요.

$4+\square < 54-(2+9)\times 4$

(　　　　　　　　　　)

15 다음 식이 성립하도록 두 수를 (　　)로 묶어 보세요.

$70 - 4 + 6 \times 3 \div 6 = 65$

16 식이 성립하도록 ○ 안에 $+$, $-$, $\times$, $\div$ 중 알맞은 기호를 써넣으세요.

$57-(20\div 5 \bigcirc 2)\times 7=15$

17

갈림길에 있는 주어진 계산식의 결과를 따라 간다고 할 때 아기 오리가 엄마 오리를 찾아 가는 길을 선으로 표시해 보세요.

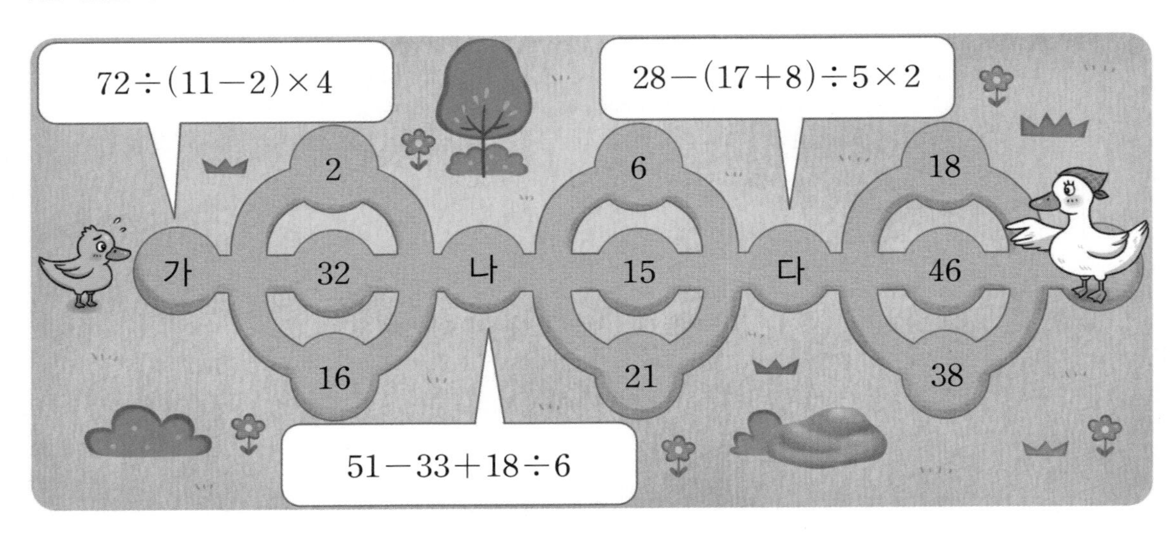

18

다음과 같이 약속할 때 36★6을 계산해 보세요.

가★나=(가+나×3)÷(가−나×3)

(　　　　　　　　　　)

19

수 카드 2, 5, 6을 한 번씩만 사용하여 다음과 같은 식을 만들려고 합니다. 계산 결과가 가장 클 때와 가장 작을 때는 얼마인지 계산 결과를 각각 구해 보세요.

90÷(□×□)+□

(1) 가장 클 때: 90÷(□×□)+□=□

(2) 가장 작을 때: 90÷(□×□)+□=□

특강 창의·융합 사고력

정답과 풀이 p.12

2주 평가

준비물 계산기

1

계산기의 저장 기능을 이용하여 덧셈, 뺄셈, 곱셈, 나눗셈이 섞여 있는 식을 계산하려고 합니다. 보기 와 같이 계산 과정을 빈칸에 써넣고 계산기를 이용하여 답을 구해 보세요.

계산기의 여러 가지 편리한 기능 중에는 계산 결과를 저장하는 기능이 있습니다. 계산기의 저장 기능을 이용하면 덧셈, 뺄셈, 곱셈, 나눗셈이 섞여 있는 식을 편리하게 계산할 수 있습니다.

- MC: 저장 결과를 지웁니다.
- M+: 저장 결과에 새로 입력된 값을 더합니다.
- M-: 저장 결과에서 새로 입력된 값을 뺍니다.
- MR: 저장 결과를 불러옵니다.

보기

다음 식을 계산기의 저장 기능을 이용하여 계산하는 과정입니다.

$22 \times 3 - 35 \div 5$

MC	2	2	×	3	M+	3	5	÷	5	M-	MR

(59)

(1) $45 \div 5 - 3 \times 2$

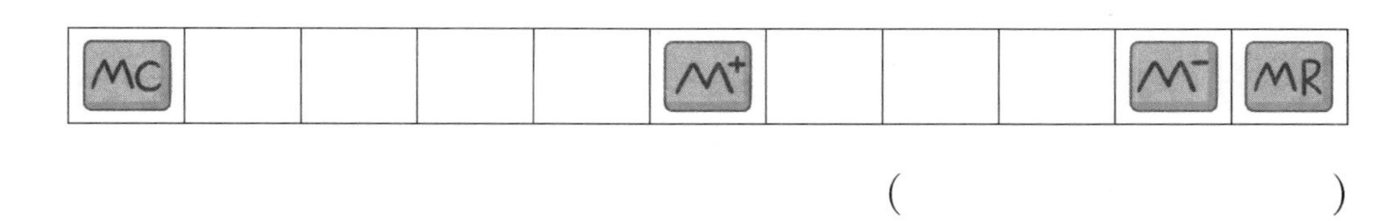

( )

(2) $5 \times 9 - 12 \div 3$

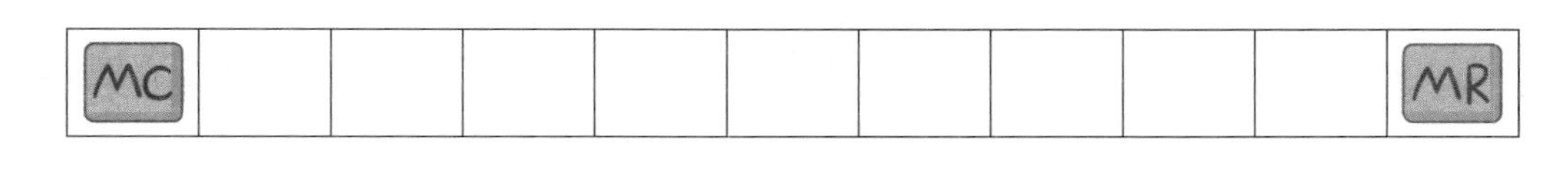

( )

2 약수와 배수

약수와 배수에서
활용되는 다양한
수를 배워 봅니다.

완전수, 부족수, 과잉수, 제곱수

이탈리아 화가인 레오나르도 다 빈치(Leonardo da Vinci:1452~1519)의 작품인 '최후의 만찬'에서 예수의 제자들의 위치에는 수에 대한 재미있는 이야기가 있습니다.

자기 자신을 제외한 약수의 합이 자기 자신의 수가 되는 수를 **완전수**라고 하는데, 6의 약수 중 1, 2, 3을 더하면 6이 됩니다. 예수의 제자 중 가장 많은 사랑을 받은 것으로 보이는 사도 요한은 왼쪽으로부터 여섯 번째, 즉 완전수에 해당하는 자리에 앉아 있습니다.

한편 자신을 제외한 약수의 합이 그 자신의 수보다 작아지는 수를 **부족수**라고 합니다. 예를 들어 8의 약수 중 1, 2, 4를 더하면 8보다 작으므로 부족수입니다. 그림에서 예수를 제외하고 왼쪽에서 여덟 번째에는 예수의 부활을 믿지 않았던 의심 많은 제자 도마가 앉아 있습니다.

마지막으로 12의 약수 중 자신을 제외한 약수 1, 2, 3, 4, 6을 더하면 12보다 커지는데, 이런 수를 **과잉수**라고 합니다. 예수는 열두 제자를 두었으므로 제자가 충분히 많다는 의미로 해석할 수 있습니다.

완전수	자신을 제외한 약수의 합이 자신과 같은 수
부족수	자신을 제외한 약수의 합이 자신보다 작은 수
과잉수	자신을 제외한 약수의 합이 자신보다 큰 수

부족은 모자란다는 뜻이고,
과잉은 넘쳐난다는 뜻이야.

아! 그리고 부족하지도 넘치지도
않는 수를 완전수라고 하는 구나.

✩ 제곱수

$1\times1=1$, $2\times2=4$, $3\times3=9$, $4\times4=16$……

1, 4, 9, 16……과 같이 같은 수를 곱해서 나온 수를 **제곱수**라고 합니다.
제곱수의 약수는 홀수 개입니다.

수	약수	약수의 수
4	1, 2, 4	3개
9	1, 3, 9	3개
16	1, 2, 4, 8, 16	5개

주어진 수가 완전수인지 부족수인지 과잉수인지 알아보세요.

수	자신을 제외한 약수	자신을 제외한 약수의 합과 크기 비교	완전수/부족수/과잉수
6	1, 2, 3	$1+2+3=6=6$	완전수
8	1, 2, 4	$1+2+4=7<8$	부족수
9	1, 3	$1+3=4<9$	
12	1, 2, 3, 4, 6	$1+2+3+4+6=16>12$	과잉수
15	1, 3, 5	$1+3+5=9<15$	
20	1, 2, 4, 5, 10	$1+2+4+5+10=22>20$	
24	1, 2, 3, 4, 6, 8, 12	$1+2+3+4+6+8+12=36>24$	
28	1, 2, 4, 7, 14	$1+2+4+7+14=28=28$	

주어진 수들을 제곱수와 제곱수가 아닌 수로 나누어 보세요.

3, 4, 6, 9, 10, 16, 20, 25

제곱수

4

제곱수가 아닌 수

3

1 단계 교과서 개념 잡기

개념 1 약수 알아보기

• 약수 구하기

약수: 어떤 수를 나누어떨어지게 하는 수

예 6의 약수 구하기

6÷1=6	6÷2=3	6÷3=2
6÷4=1 ··· 2	6÷5=1 ··· 1	6÷6=1

6을 나누어떨어지게 하는 수를 알아보아요.

➔ 6의 약수: 1, 2, 3, 6 (6을 나누어떨어지게 하는 수)

약수의 성질

① 어떤 수의 약수에는 1과 자기 자신이 항상 포함됩니다.

② ★의 약수 중 가장 작은 수는 1이고, 가장 큰 수는 ★입니다.

예 6의 약수 중 가장 작은 수는 1이고, 가장 큰 수는 6입니다.

③ 수가 크다고 약수의 수가 더 많은 것은 아닙니다.

예 4의 약수: 1, 2, 4 ➔ 3개, 5의 약수: 1, 5 ➔ 2개

개념 2 배수 알아보기

• 배수 구하기

배수: 어떤 수를 1배, 2배, 3배······ 한 수

예 4의 배수 구하기

4를 1배 한 수 ➔ 4×1=4
4를 2배 한 수 ➔ 4×2=8
4를 3배 한 수 ➔ 4×3=12
4를 4배 한 수 ➔ 4×4=16
⋮

4의 배수는 4가 계속 4씩 커지는 것을 말해요.

➔ 4의 배수: 4, 8, 12, 16······

배수의 성질

① 어떤 수의 배수는 셀 수 없이 많습니다.

② ★의 배수 중에서 가장 작은 수는 ★입니다.

예 4의 배수 중의 가장 작은 수는 4입니다.

1-1 12의 약수를 구하려고 합니다. □ 안에 알맞은 수를 써넣으세요.

$12 \div 1 = 12$ $12 \div 2 = 6$ $12 \div 3 = 4$
$12 \div 4 = 3$ $12 \div 6 = 2$ $12 \div 12 = 1$

➔ 12의 약수: □, □, □, □, □, □

1-2 수 배열표에서 15의 약수를 모두 찾아 ○표 해 보세요.

1	2	3	4	5	6	7	8	9	10	11	12	13	14	15

2-1 7의 배수를 구하려고 합니다. □ 안에 알맞은 수를 써넣으세요.

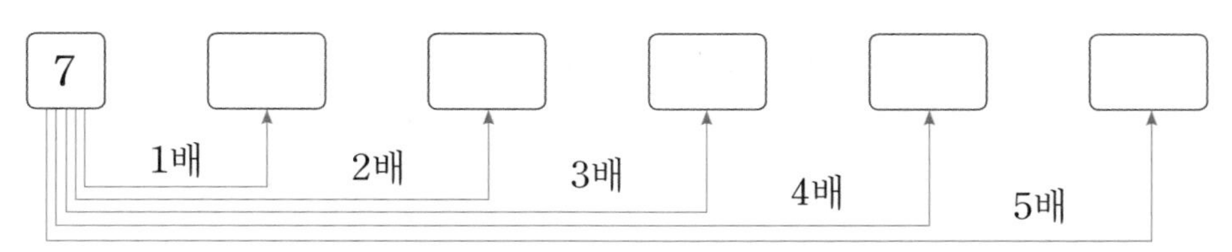

2-2 배수를 구해 보세요.

(1) 9의 배수 ➔ 9, □, □, □, □, □……

(2) 11의 배수 ➔ 11, □, □, □, □, □……

개념 3 곱을 이용하여 약수와 배수의 관계를 알아보기

• 두 수의 곱으로 나타내어 약수와 배수의 관계 알아보기

예 15를 두 수의 곱으로 나타내기

$15=1\times15$ (15: 1과 15의 배수, 1과 15: 15의 약수)　　$15=3\times5$ (15: 3과 5의 배수, 3과 5: 15의 약수)

➔ 15는 1, 3, 5, 15의 배수입니다.
　1, 3, 5, 15는 15의 약수입니다.

■=▲×● ➔ ■는 ▲와 ●의 배수입니다.
　　　　　▲와 ●는 ■의 약수입니다.

난 너희들의 배수야.　우리는 너의 약수야.

6=2×3

• 여러 수의 곱으로 나타내어 약수와 배수의 관계 알아보기

예 28을 여러 수의 곱으로 나타내기

$28=1\times28$　　$28=2\times14$ (14 → 2×7)

$28=4\times7$ (4 → 2×2)　　$28=2\times2\times7$

1, 2, 4, 7, 14, 28은 28을 모두 나누어떨어지게 해요.

➔ $28=2\times2\times7$이므로 28은 1, 2, 4, 7, 14, 28의 배수입니다.
　1, 2, 4, 7, 14, 28은 28의 약수입니다.

참고

• 나눗셈을 이용하여 약수와 배수의 관계 알아보기

12	6

$12\div6=2$로 나누어떨어집니다.

➔ 12와 6은 약수와 배수의 관계입니다.

13	4

$13\div4=3\cdots1$로 나누어떨어지지 않습니다.

➔ 13과 4는 약수와 배수의 관계가 아닙니다.

정답과 풀이 p.14

3-1 식을 보고 □ 안에 '약수' 또는 '배수'를 알맞게 써넣으세요.

$14=2\times7$ → 14는 2와 7의 □ 입니다.
2와 7은 14의 □ 입니다.

3-2 두 수의 곱으로 나타내어진 식을 보고 □ 안에 알맞은 수를 써넣으세요.

$27=1\times27$　　$27=3\times9$

(1) 27은 1, □, □, □ 의 배수입니다.

(2) 1, □, □, □ 은(는) 27의 약수입니다.

3-3 식을 보고 □ 안에 알맞은 수를 써넣으세요.

$1\times20=20$　　$2\times10=20$　　$4\times5=20$　　$2\times2\times5=20$

(1) 20은 □, □, □, □, □, □ 의 배수입니다.

(2) □, □, □, □, □, □ 은 20의 약수입니다.

3-4 약수와 배수의 관계인 것에 모두 ○표 하세요.

48	7

(　　)

6	3

(　　)

8	17

(　　)

26	2

(　　)

개념 4 공약수와 최대공약수 구하기

• 공약수와 최대공약수

- 공약수: 두 수의 공통된 약수
- 최대공약수: 공약수 중에서 가장 큰 수

예 12와 18의 공약수 구하기

→ 모든 수의 공약수

12의 약수	1	2	3	4	6	12
18의 약수	1	2	3	6	9	18

12와 18의 공통된 약수를 찾아봐요.

→ 12와 18의 공약수: 1, 2, 3, 6
12와 18의 최대공약수: 6 → 공통된 약수 중 가장 큰 수

• 공약수와 최대공약수의 관계

두 수의 최대공약수의 약수는 두 수의 공약수와 같습니다.

예 12와 18의 공약수: 1, 2, 3, 6
12와 18의 최대공약수: 6
→ 최대공약수인 6의 약수: 1, 2, 3, 6

같습니다.

개념 5 최대공약수 구하는 방법 알아보기

• 두 수의 곱으로 나타낸 곱셈식을 이용하여 최대공약수 구하기

예 30과 42의 최대공약수 구하기

곱셈식 이용하기

$30=5\times6$ $42=7\times6$

→ 30과 42의 최대공약수: 6

가장 큰 공약수로 나누기

30과 42의 공약수 → 6) 30 42
5 7

→ 30과 42의 최대공약수: 6

• 여러 수의 곱으로 나타낸 곱셈식을 이용하여 최대공약수 구하기

예 20과 24의 최대공약수 구하기

곱셈식 이용하기

$20=2\times2\times5$ $24=2\times2\times2\times3$

($2\times2=4$)

→ 20과 24의 최대공약수: $2\times2=4$

공약수로 나누기

20과 24의 공약수 → 2) 20 24
10과 12의 공약수 → 2) 10 12
5 6

→ 20과 24의 최대공약수: $2\times2=4$

정답과 풀이 p.14

4-1 20과 12의 약수를 보고 물음에 답하세요.

20의 약수: 1, 2, 4, 5, 10, 20
12의 약수: 1, 2, 3, 4, 6, 12

(1) 20과 12의 공약수와 최대공약수를 구해 보세요.

공약수: □, □, □

최대공약수: □

(2) □ 안에 알맞은 말을 써넣으세요.

20과 12의 공약수는 20과 12의 최대공약수의 □와 같습니다.

5-1 28과 42의 최대공약수를 구하려고 합니다. 물음에 답하세요.

$28=2\times2\times7 \qquad 42=2\times3\times7$

(1) 공통으로 들어 있는 곱셈식을 써 보세요.

□ × □

(2) 28과 42의 최대공약수는 얼마일까요?

(　　　　　　)

5-2 18과 30의 최대공약수를 구하려고 합니다. □ 안에 알맞은 수를 써넣으세요.

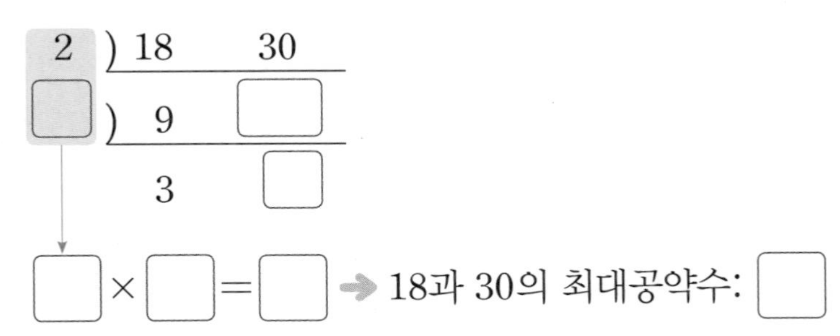

1단계 교과서 개념 잡기

개념 6 공배수와 최소공배수 구하기

• 공배수와 최소공배수

공배수: 두 수의 공통된 배수

최소공배수: 공배수 중에서 가장 작은 수

예 4와 6의 공배수 구하기

4의 배수	4	8	12	16	20	24	28	32	36	……
6의 배수	6	12	18	24	30	36	42	48	54	……

➔ 4와 6의 공배수: 12, 24, 36…… → 4와 6의 공통된 배수

4와 6의 최소공배수: 12 → 공통된 배수 중 가장 작은 수

• 공배수와 최소공배수의 관계

두 수의 최소공배수의 배수는 두 수의 공배수와 같습니다.

예 4와 6의 공배수: 12, 24, 36……

4와 6의 최소공배수: 12

➔ 최소공배수인 12의 배수: 12, 24, 36……

같습니다.

개념 7 최소공배수 구하는 방법 알아보기

• 두 수의 곱으로 나타낸 곱셈식을 이용하여 최소공배수 구하기

예 20과 25의 최소공배수 구하기

곱셈식 이용하기

$20=4\times5$ $25=5\times5$

➔ 20과 25의 최소공배수: $5\times4\times5=100$

가장 큰 공약수로 나누기

20과 25의 공약수 ➔ 5) 20 25

4 5

➔ 20과 25의 최소공배수: $5\times4\times5=100$

• 여러 수의 곱으로 나타낸 곱셈식을 이용하여 최소공배수 구하기

예 30과 42의 최소공배수 구하기

곱셈식 이용하기

$30=2\times3\times5$ $42=2\times3\times7$ ($2\times3=6$)

➔ 30과 42의 최소공배수: $2\times3\times5\times7=210$

공약수로 나누기

30과 42의 공약수 ➔ 2) 30 42

15와 21의 공약수 ➔ 3) 15 21

5 7

➔ 30과 42의 최소공배수: $2\times3\times5\times7=210$

개념 확인 문제

6-1 3과 9의 배수를 보고 물음에 답하세요.

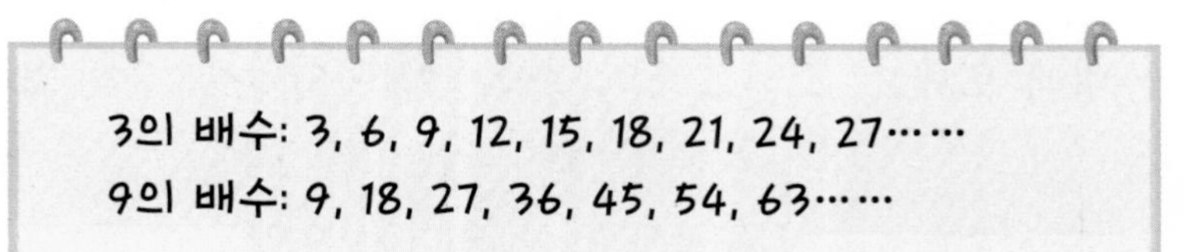

3의 배수: 3, 6, 9, 12, 15, 18, 21, 24, 27……
9의 배수: 9, 18, 27, 36, 45, 54, 63……

(1) 3과 9의 공배수와 최소공배수를 구해 보세요.

공배수: □, □, □……

최소공배수: □

(2) □ 안에 알맞은 말을 써넣으세요.

3과 9의 공배수는 3과 9의 최소공배수의 □와 같습니다.

7-1 24와 54의 최소공배수를 구하려고 합니다. □ 안에 알맞은 수를 써넣으세요.

$24=2\times2\times2\times3$ $54=2\times3\times3\times3$

➔ 최소공배수: $2\times3\times$ □ $\times$ □ $\times$ □ $\times$ □ $=$ □

7-2 18과 30의 최소공배수를 구하려고 합니다. □ 안에 알맞은 수를 써넣으세요.

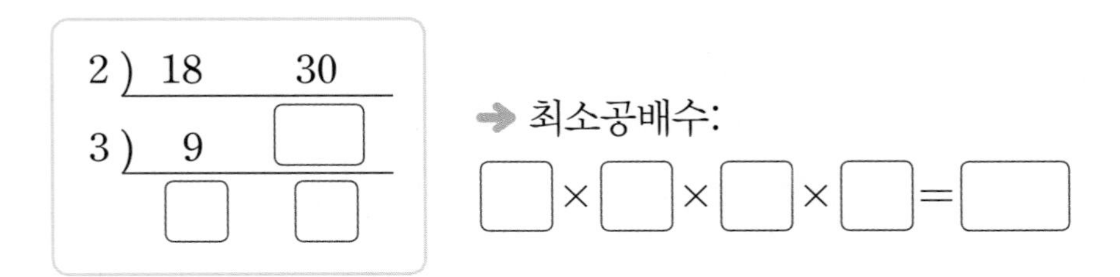

PLAY 교과서 개념 스토리

팝콘 상자 채우기

준비물 붙임딱지

팝콘 상자에 주어진 수의 약수가 적힌 팝콘을 채워야 팝콘을 먹을 수 있어요. 팝콘 붙임딱지를 붙여 팝콘 상자를 채워 보세요. 그리고 최대공약수와 공약수를 구해 보세요.

→ 6과 18의 최대공약수: 6　　6과 18의 공약수: 1, 2, 3, 6

→ 13과 39의 최대공약수: ☐　　13과 39의 공약수: ☐, ☐

→ 8과 20의 최대공약수: ☐　　8과 20의 공약수: 

팝콘 가게

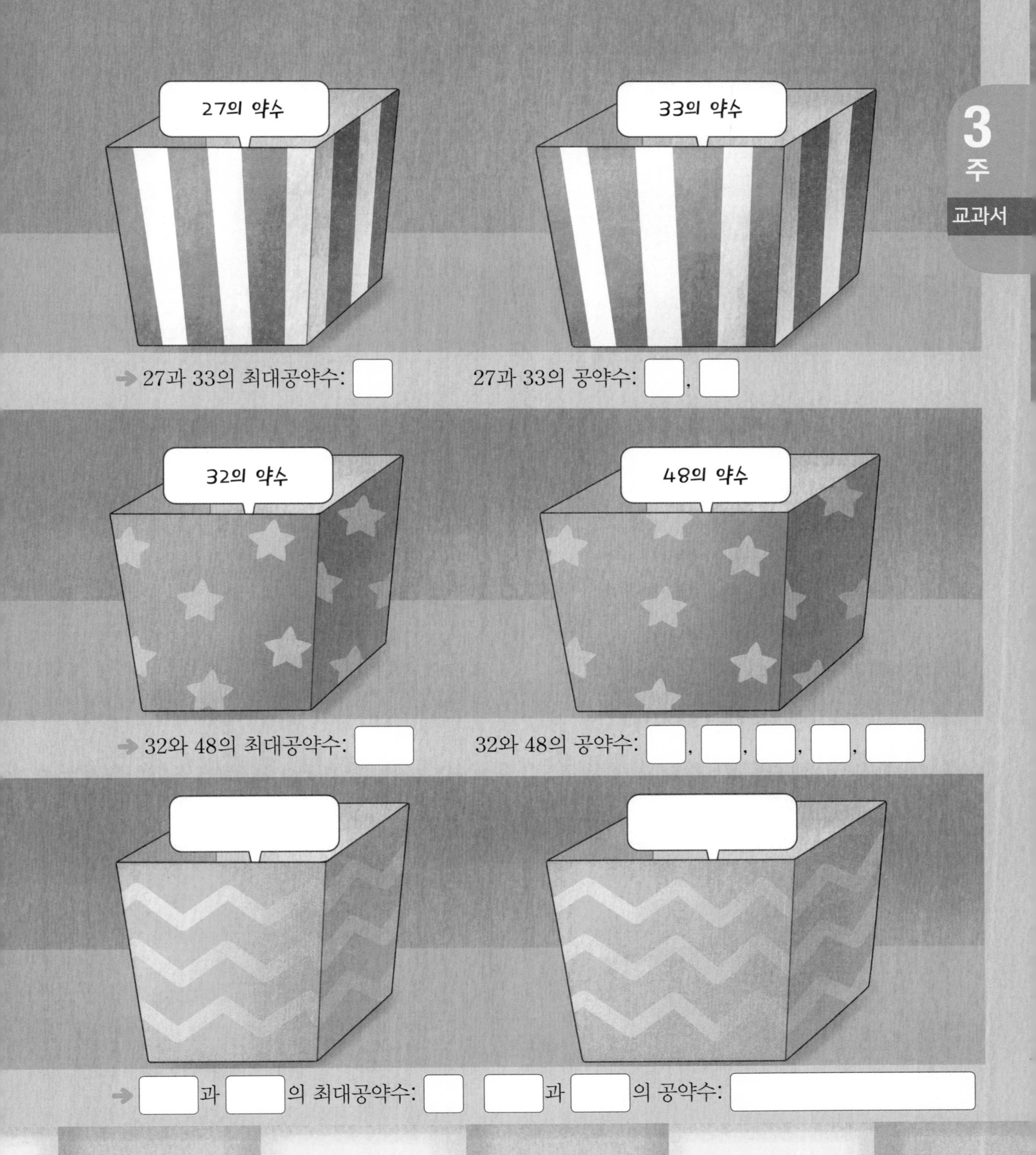

➔ 27과 33의 최대공약수: ☐ 27과 33의 공약수: ☐, ☐

➔ 32와 48의 최대공약수: ☐ 32와 48의 공약수: ☐, ☐, ☐, ☐, ☐

➔ ☐과 ☐의 최대공약수: ☐ ☐과 ☐의 공약수: ☐

PLAY 교과서 개념 스토리

슬라임 꾸미기

준비물 붙임딱지

슬라임 통에 주어진 수의 배수가 적힌 토핑이 들어가도록 하여 슬라임을 꾸미려고 해요. 한 통에 작은 수부터 6개씩 토핑 붙임딱지를 붙여 보세요. 그리고 최소공배수와 공배수를 구해 보세요.

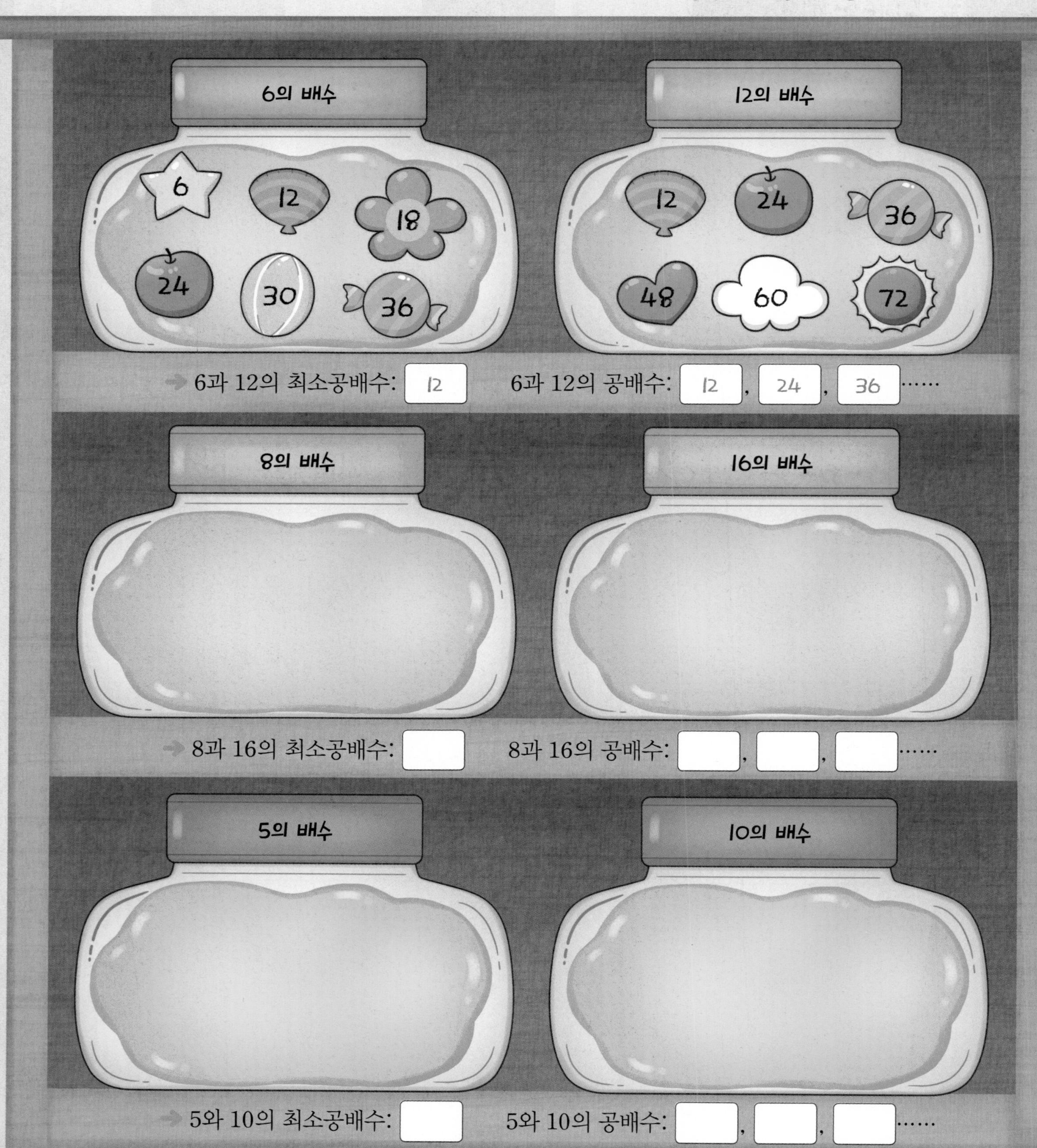

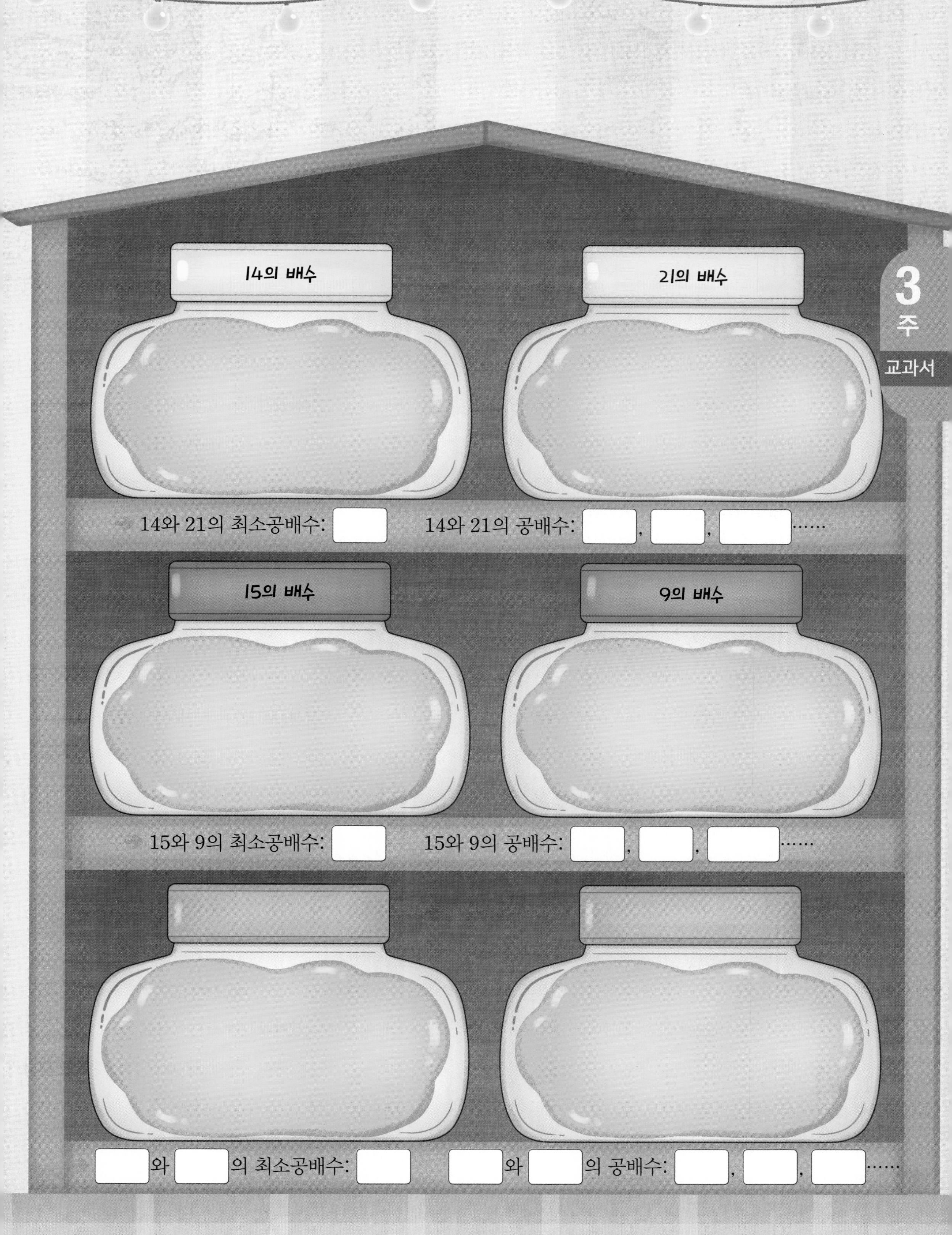
14의 배수
21의 배수
14와 21의 최소공배수:
14와 21의 공배수: , , ……
15의 배수
9의 배수
15와 9의 최소공배수:
15와 9의 공배수: , , ……
와 의 최소공배수:
와 의 공배수: , , ……

2단계 교과서 개념 다지기

개념 1 약수 구하기

01 약수를 구해 보세요.

(1) 20의 약수 → (   )

(2) 16의 약수 → (   )

02 모든 자연수의 약수가 되는 수에 ○표 하세요.

03 다음은 어떤 수의 약수를 모두 쓴 것입니다. 어떤 수를 구해 보세요.

1　2　4　11　22　44

(   )

04 45의 약수는 모두 몇 개인지 구해 보세요.

(   )

개념 2 배수 구하기

05 배수를 5개씩 써 보세요.

(1) 7의 배수 → (   )

(2) 20의 배수 → (   )

06 8의 배수가 아닌 수에 ×표 하세요.

40 32 42 16 64

07 13의 배수를 가장 작은 수부터 차례로 쓴 것입니다. 8번째로 작은 13의 배수를 구해 보세요.

13, 26, 39, 52……

(   )

08 70보다 작은 자연수 중에서 9의 배수는 모두 몇 개인지 구해 보세요.

(   )

개념 3 약수와 배수의 관계 알아보기

09 주어진 곱셈식에 대한 설명 중 옳지 않은 것을 찾아 기호를 써 보세요.

$42=7\times6$

㉠ 42는 7의 배수입니다.
㉡ 6은 42의 약수입니다.
㉢ 7은 42의 약수입니다.
㉣ 42는 6의 배수입니다.
㉤ 6과 7은 42의 배수입니다.

(　　　　　　　　)

10 15를 두 수의 곱으로 나타내고 약수와 배수의 관계를 써 보세요.

$15=1\times$ □　　$15=3\times$ □

15는 ________________의 배수입니다.
________________은(는) 15의 약수입니다.

11 (|) 안의 두 수가 서로 약수와 배수의 관계인 것을 찾아 색칠해 보세요.

(8 | 48)　(64 | 9)　(60 | 15)　(74 | 6)　(2 | 72)

12 왼쪽의 주어진 수에서 약수와 배수의 관계인 수를 모두 찾아 써 보세요.

4　7　8　16　14

약수	배수	약수	배수
(4 ,	8)	(,	)
(,	)	(,	)

개념 4 공약수와 최대공약수

13 18과 24의 약수를 써넣고 공약수와 최대공약수를 구해 보세요.

18의 약수	
24의 약수	

공약수 (　　　　　　　　　　)
최대공약수 (　　　　　　　　　　)

14 어떤 두 수의 최대공약수가 30일 때 두 수의 공약수를 모두 써 보세요.

(　　　　　　　　　　)

15 24와 36을 어떤 수로 나누면 두 수가 모두 나누어떨어집니다. 어떤 수 중에서 가장 큰 수를 구해 보세요.

(　　　　　　　　　　)

16 다음을 읽고 설명이 바른 것에 ○표, 틀린 것에 ×표 하세요.

16과 40의 공약수 중에서 가장 작은 수는 1이야.

(　　　)

16과 40의 공약수 중에서 가장 큰 수는 4야.

(　　　)

개념 5 공배수와 최소공배수

17 6과 9의 배수를 가장 작은 수부터 써넣고 공배수와 최소공배수를 구해 보세요. (단, 공배수는 가장 작은 수부터 3개를 써 보세요.)

6의 배수	6									......
9의 배수	9									......

공배수 (　　　　　　　)
최소공배수 (　　　　　　　)

18 어떤 두 수의 최소공배수가 15일 때, 이 두 수의 공배수를 가장 작은 수부터 3개 써 보세요.

(　　　　　　　)

19 1부터 50까지의 수 중에서 3의 배수이면서 4의 배수인 수를 모두 써 보세요.

(　　　　　　　)

20 8과 12의 공배수를 모두 찾아 써 보세요.

4　10　16　24　32　30　48

(　　　　　　　)

개념 6 최대공약수와 최소공배수 구하는 방법

21 곱셈식을 보고 ㉮와 ㉯의 최대공약수를 구해 보세요.

㉮ $=2\times2\times3$ ㉯ $=2\times3\times3\times5$

( )

22 곱셈식을 보고 ㉮와 ㉯의 최소공배수를 구해 보세요.

㉮ $=3\times3\times5$ ㉯ $=2\times3\times5$

( )

23 두 수의 최대공약수와 최소공배수를 각각 구해 보세요.

(1)) 16 20

최대공약수 ➔ ( )
최소공배수 ➔ ( )

(2)) 36 54

최대공약수 ➔ ( )
최소공배수 ➔ ( )

24 두 수의 최소공배수가 가장 작은 것부터 차례로 기호를 써 보세요.

㉠ (20, 5) ㉡ (4, 6) ㉢ (9, 15)

( )

3 단계 교과서 실력 다지기

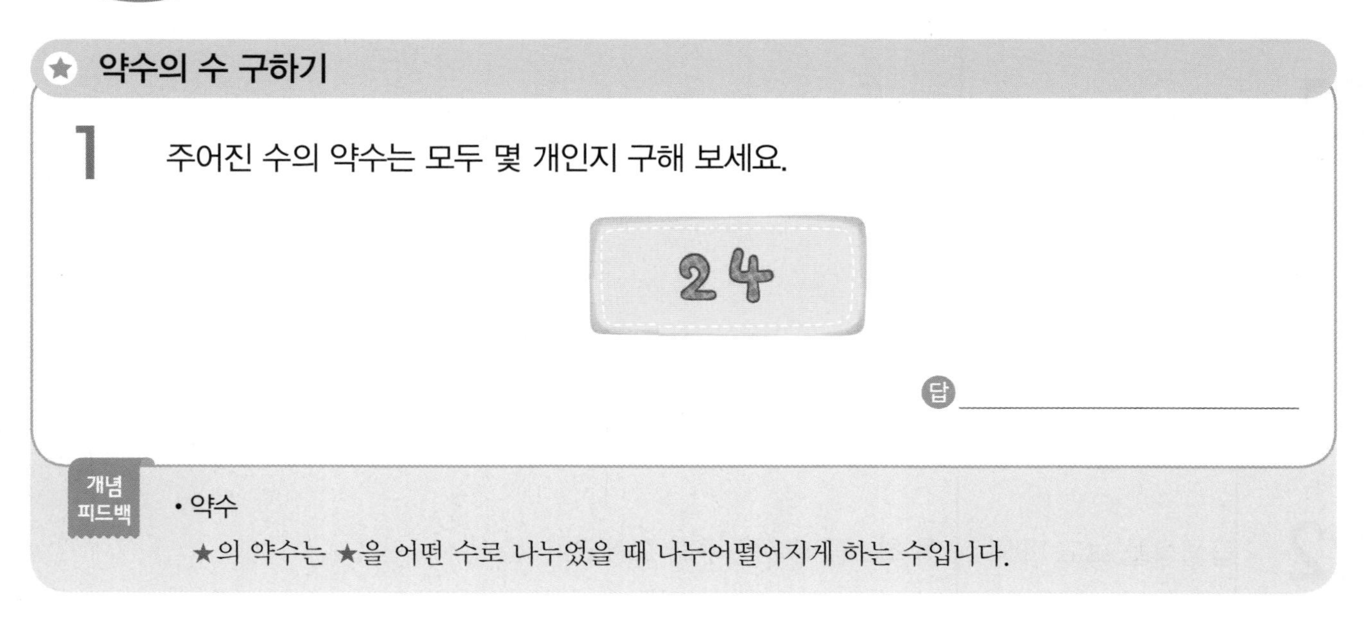

약수의 수 구하기
1 주어진 수의 약수는 모두 몇 개인지 구해 보세요.
24
답
개념 피드백
• 약수
★의 약수는 ★을 어떤 수로 나누었을 때 나누어떨어지게 하는 수입니다.

1-1 주어진 수의 약수는 모두 몇 개인지 구해 보세요.

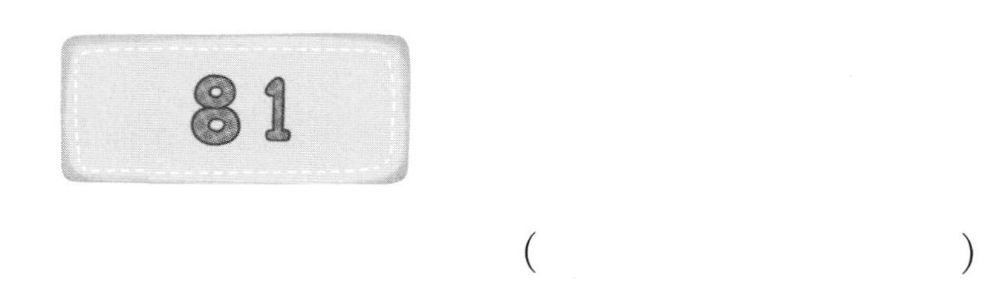

( )

1-2 다음 수 중 약수의 수가 많은 것부터 차례로 기호를 써 보세요.

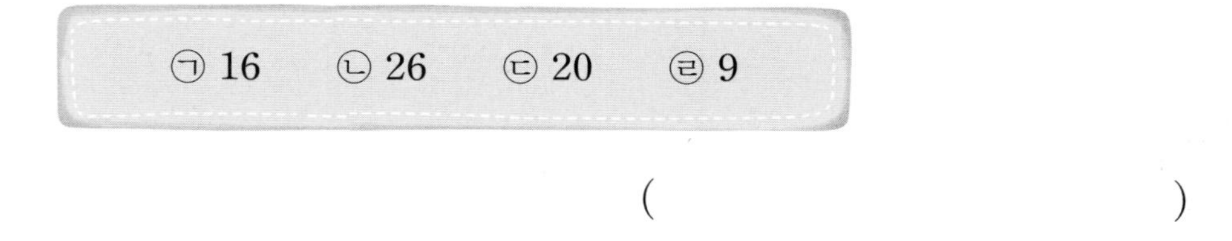

( )

■번째 배수 구하기

2 다음은 7의 배수를 가장 작은 수부터 차례로 쓴 것입니다. 16번째 수를 구해 보세요.

7, 14, 21, 28, 35……

답 ______________

개념 피드백
- ■번째 배수 구하기
  ★의 배수를 작은 수부터 차례로 썼을 때, ■번째 수는 ★×■입니다.

2-1 11의 배수를 가장 작은 수부터 차례로 쓸 때 20번째 수는 얼마일까요?

(　　　　　　　　)

2-2 어떤 수의 배수를 가장 작은 수부터 차례로 쓴 것입니다. 15번째 수는 얼마인지 구해 보세요.

(1) 9, 18, 27, 36……

(　　　　　　　　)

(2) 13, 26, 39, 52……

(　　　　　　　　)

★ 공약수와 최대공약수의 관계 이용하기

3 ●와 ▲의 최대공약수는 48입니다. ●와 ▲의 공약수인 것을 모두 찾아 써 보세요.

3	7	9	16	20	24

답 ______________

개념 피드백

• 두 수의 최대공약수를 알 때 두 수의 공약수 구하기
두 수의 공약수는 두 수의 최대공약수의 약수와 같습니다.

3-1 어떤 두 수의 최대공약수가 12일 때, 이 두 수의 공약수인 것에 모두 ○표 하세요.

2	3	5	6	8	9	10

3-2 어떤 두 수의 최대공약수가 18입니다. 이 두 수의 공약수를 모두 구해 보세요.

( )

3-3 공약수의 수가 더 많은 것의 기호를 써 보세요.

㉠ 최대공약수가 14인 어떤 두 수
㉡ 최대공약수가 25인 어떤 두 수

( )

★ 공배수와 최소공배수의 관계 이용하기

4 ●와 ▲의 최소공배수는 21입니다. ●와 ▲의 공배수인 것을 모두 찾아 써 보세요.

7　21　35　42　56　63

답 ______________

개념 피드백
- 두 수의 최소공배수를 알 때 두 수의 공배수 구하기
  두 수의 공배수는 두 수의 최소공배수의 배수와 같습니다.

4-1 어떤 두 수의 최소공배수가 8일 때, 이 두 수의 공배수인 것에 모두 ○표 하세요.

4　8　10　16　18　24

4-2 어떤 두 수의 최소공배수는 14입니다. 이 두 수의 공배수를 가장 작은 수부터 3개 써 보세요.

(　　　　　　　　)

4-3 6과 9의 공배수 중에서 7번째로 작은 수는 얼마인지 구해 보세요.

(　　　　　　　　)

최대공약수의 활용

5 사탕 8개와 초콜릿 12개를 최대한 많은 사람에게 남김없이 똑같이 나누어 주려고 합니다. 사탕과 초콜릿을 최대 몇 명에게 나누어 줄 수 있는지 구해 보세요.

답 ______________________

개념 피드백

• 최대공약수 문제 해결하기

최대한 많은(큰), 될 수 있는 대로 많은(큰) 의 표현이 있으면 최대공약수를 이용하여 문제를 해결합니다.

최대한 많은 사람에게 남김없이 똑같이 나누어 주려면 최대공약수를 구해야 해요.

5-1 선생님은 공책 45권, 연필 63자루를 될 수 있는 대로 많은 학생에게 남김없이 똑같이 나누어 주려고 합니다. 공책과 연필을 최대 몇 명까지 나누어 줄 수 있는지 구해 보세요.

( )

5-2 혜미는 초콜릿 36개와 사탕 42개를 최대한 많은 친구들에게 남김없이 똑같이 나누어 주려고 합니다. 초콜릿과 사탕을 최대 몇 명의 친구에게 나누어 줄 수 있는지 구해 보세요.

( )

최소공배수의 활용

6 수영장에 민지는 12일마다 한 번씩 가고 혜승이는 18일마다 한 번씩 갑니다. 민지와 혜승이가 오늘 수영장에서 만났다면 바로 다음 번에 두 사람이 만나는 날은 며칠 후인지 구해 보세요.

답 ____________________

개념 피드백

• 최소공배수 문제 해결하기

가장 적은(작은), 될 수 있는 대로 적은, 다음 번에 함께 의 표현이 있으면

최소공배수를 이용하여 문제를 해결합니다.

바로 다음 번에 만나는 날은 최소공배수를 이용해서 구해요.

6-1 동건이는 16일마다, 우철이는 24일마다 한 번씩 유기견 보호소로 봉사를 하러 갑니다. 오늘 동건이와 우철이가 함께 봉사 활동을 갔다면 바로 다음 번에 두 사람이 함께 유기견 보호소로 봉사 활동을 가는 날은 며칠 후인지 구해 보세요.

(   )

6-2 선주는 4일마다, 현우는 6일마다 도서관에 갑니다. 4월 1일 두 사람이 도서관에서 만났다면 바로 다음 번에 두 사람이 도서관에서 만나는 것은 며칠 후가 될까요?

(   )

교과서 서술형 연습

1 ㉠과 ㉡에 알맞은 수를 각각 구해 보세요.

2)	㉠	㉡
3)	15	18
	5	6

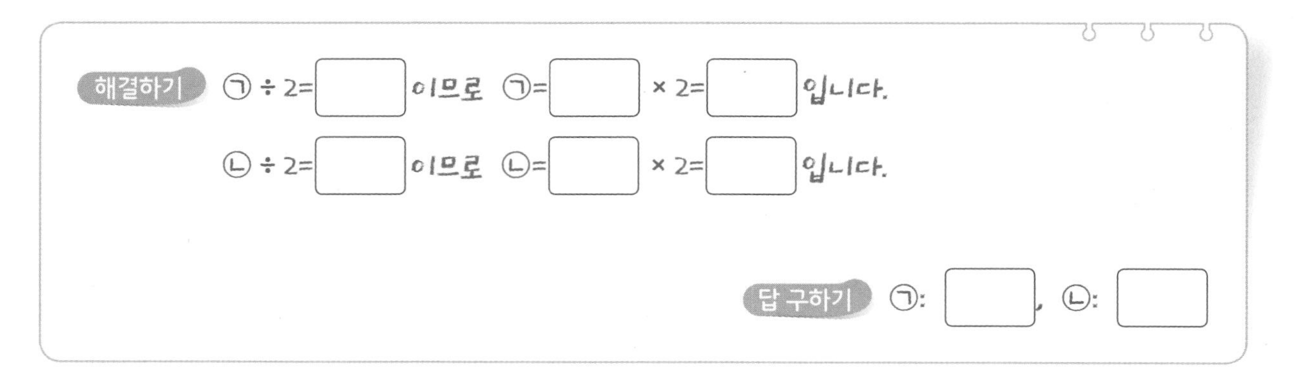

해결하기 ㉠ ÷ 2=☐이므로 ㉠=☐ × 2=☐입니다.

㉡ ÷ 2=☐이므로 ㉡=☐ × 2=☐입니다.

답 구하기 ㉠: ☐, ㉡: ☐

서술형 실전

2 ㉠과 ㉡의 최대공약수와 최소공배수를 구하는 과정입니다. ㉠, ㉡에 알맞은 수를 각각 구해 보세요.

3)	㉠	㉡
5)	15	10
	3	2

해결하기

답 구하기 ㉠ (　　　　), ㉡ (　　　　)

서술형 연습

3 연우와 희영이는 운동장 둘레를 일정한 빠르기로 걷고 있습니다. 연우는 3분마다, 희영이는 5분마다 운동장을 한 바퀴 돕니다. 두 사람이 출발 후 40분 동안 출발점에서 몇 번 다시 만나는지 구해 보세요.

구하려는 것, 주어진 것에 선 긋기

해결하기 3과 5의 최소공배수는 ☐ 이므로

연우와 희영이는 ☐ 분에 한 번씩 만나게 됩니다.

연우와 희영이가 출발 후 다시 만날 때까지 걸리는 시간은

☐ 분, ☐ 분, ☐ 분……이므로 40분 동안 ☐ 번 다시 만납니다.

답 구하기 ☐ 번

서술형 실전

4 지민이와 서희는 연못 둘레를 일정한 빠르기로 걷고 있습니다. 지민이는 3분마다, 서희는 4분마다 연못을 한 바퀴 돕니다. 두 사람이 출발점에서 같은 방향으로 동시에 출발할 때, 출발 후 40분 동안 출발점에서 몇 번 다시 만나는지 구해 보세요.

구하려는 것, 주어진 것에 선 긋기

해결하기

답 구하기

3주 교과서

PLAY 사고력 개념 스토리 전구가 동시에 켜지는 시간

준비물 붙임딱지

각 색깔별로 전구가 켜졌다가 꺼지는 시간에 맞추어 불이 켜진 전구의 붙임딱지를 붙여 보고 두 전구를 동시에 켠 후 다음 번에 다시 동시에 켜지는 것은 몇 초 후인지 알아보세요.

(노란색 전구): □초마다 다시 켜집니다. (초록색 전구): □초마다 다시 켜집니다.

→ (노란색 전구)와 (초록색 전구)를 동시에 켠 후 □초 후에 다시 동시에 켜집니다.

파란색 전구는
4초 동안 켜지고
1초 꺼집니다.
빨간색 전구는
2초 동안 켜지고
2초 꺼집니다.
4
주
사고력
튤립
연못
파란색 전구
빨간색 전구
1초 2초 3초 4초 5초 6초 7초 8초 9초 10초 11초 12초
13초 14초 15초 16초 17초 18초 19초 20초 21초 22초 23초 24초
: 초마다 다시 켜집니다. : 초마다 다시 켜집니다.
와 를 동시에 켠 후 초 후에 다시 동시에 켜집니다.

PLAY 사고력 개념 스토리

과일 진열하기

준비물 붙임딱지

각 가게에 있는 과일들을 최대한 많은 바구니에 남김없이 똑같이 나누어 담으려고 해요. 필요한 바구니 수만큼 붙임딱지를 붙여 보세요. 그리고 바구니 하나에 5000원씩 받고 모두 팔면 판매 금액은 얼마인지 구해 보세요.

➜ 필요한 바구니는 6 개이고, 한 바구니에 사과 3 개, 배 4 개가 들어갑니다.

판매 금액: 30000 원

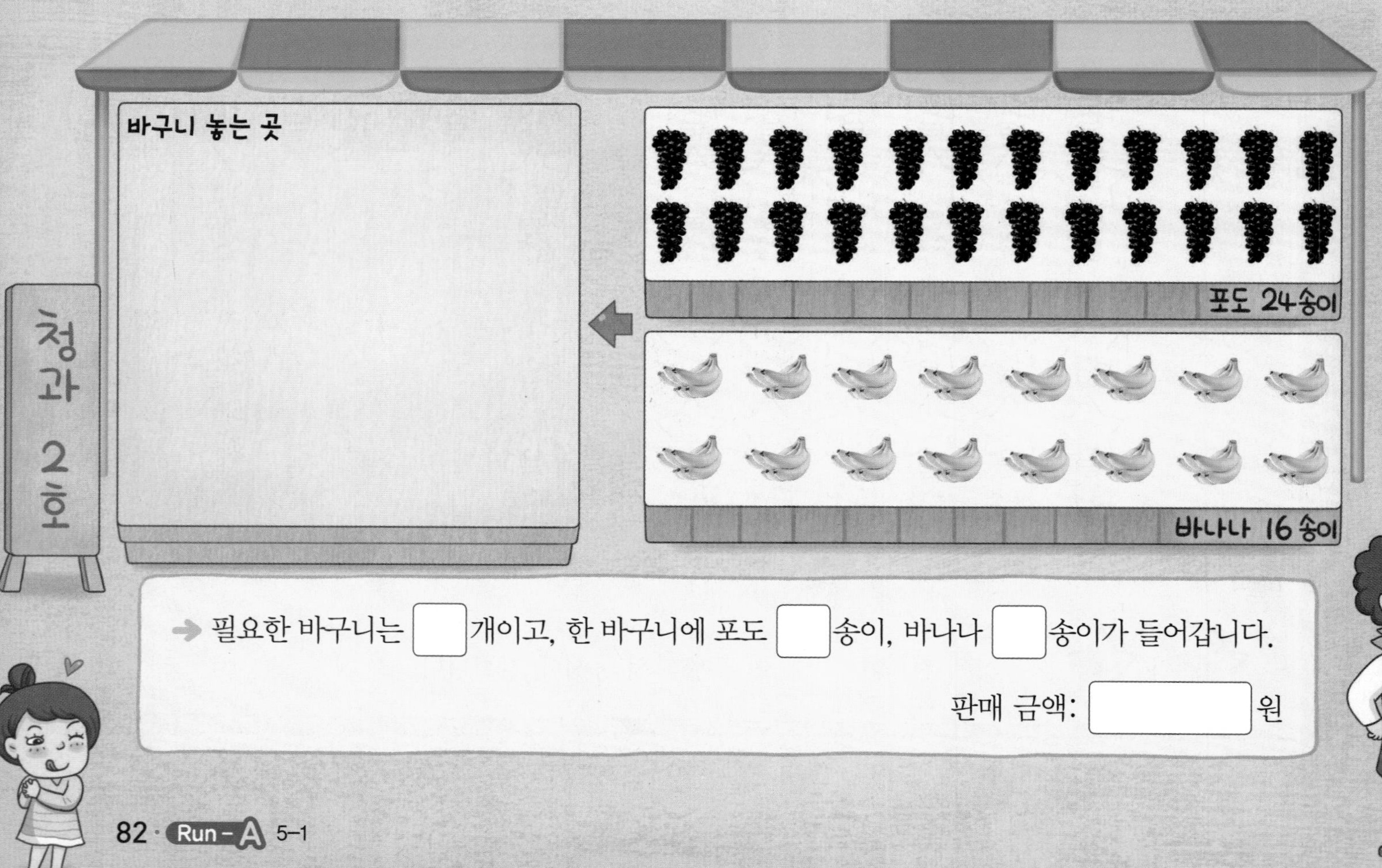

➜ 필요한 바구니는 ☐개이고, 한 바구니에 포도 ☐송이, 바나나 ☐송이가 들어갑니다.

판매 금액: ☐원

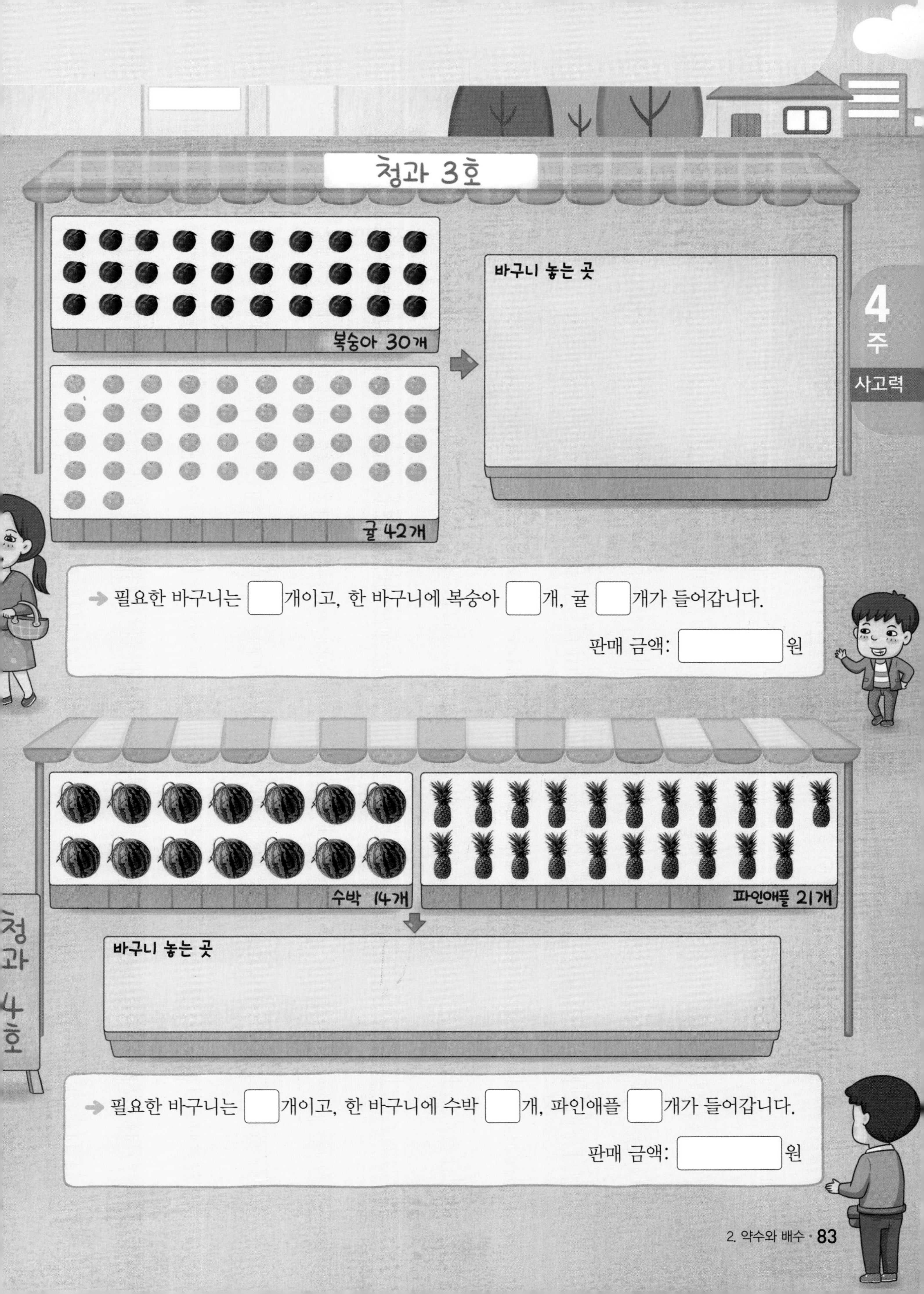

➔ 필요한 바구니는 ☐개이고, 한 바구니에 복숭아 ☐개, 귤 ☐개가 들어갑니다.

판매 금액: ☐원

➔ 필요한 바구니는 ☐개이고, 한 바구니에 수박 ☐개, 파인애플 ☐개가 들어갑니다.

판매 금액: ☐원

1단계 교과 사고력 잡기

1 **가로가 105 m, 세로가 60 m인 직사각형 모양의 땅을 크기가 같은 정사각형 모양 여러 개로 나누어 각각 꽃밭을 만들려고 합니다. 각 꽃밭이 최대한 큰 정사각형 모양이 되도록 할 때, 꽃밭은 모두 몇 개를 만들 수 있는지 구해 보세요.**

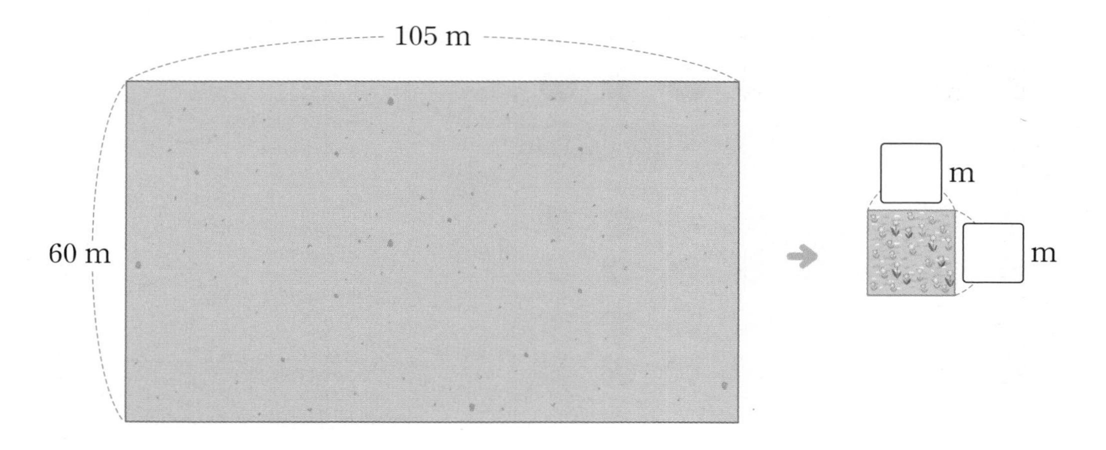

① 정사각형 모양의 꽃밭의 한 변의 길이는 몇 m가 되어야 할까요?

( )

② 최대한 큰 정사각형 모양의 꽃밭이 되려면 가로로 몇 개까지 만들 수 있을까요?

( )

③ 최대한 큰 정사각형 모양의 꽃밭이 되려면 세로로 몇 개까지 만들 수 있을까요?

( )

④ 최대한 큰 정사각형 모양의 꽃밭은 모두 몇 개 만들 수 있을까요?

( )

2 다음을 모두 만족하는 어떤 수를 구해 보세요.

- 어떤 수는 45의 약수입니다.
- 어떤 수의 약수를 모두 더하면 24입니다.

❶ 45의 약수를 모두 구해 보세요.

( )

❷ 45의 약수 중 1을 제외한 수들의 약수를 각각 구해 보세요.

3 : 1, 3

5 :

9 :

15 :

45 :

❸ 45의 약수 중 약수들의 합이 24인 수를 구해 보세요.

( )

3 버스터미널에 있는 버스 출발 시간표입니다. 부산행 버스와 대전행 버스가 오전 7시에 처음으로 동시에 출발한다면 두 버스가 다섯 번째로 동시에 출발하는 시각은 언제인지 구해 보세요.

버스 출발 시간표

출발 순서	부산행 버스	대전행 버스
첫 번째	오전 7시	오전 7시
두 번째	오전 7시 12분	오전 7시 15분
세 번째	오전 7시 24분	오전 7시 30분
네 번째	오전 7시 36분	오전 7시 45분
⋮	⋮	⋮

1 부산행과 대전행 버스는 각각 몇 분마다 출발할까요?

부산행 버스 (　　　　　　　　　　)
대전행 버스 (　　　　　　　　　　)

2 부산행과 대전행 버스는 몇 분마다 동시에 출발할까요?

(　　　　　　　　　　)

3 두 버스가 다섯 번째로 동시에 출발하는 시각을 구해 보세요.

(　　　　　　　　　　)

정답과 풀이 p.21

4

영진이와 현수가 아래와 같은 규칙에 따라 각각 바둑돌을 40개씩 놓을 때, 같은 자리에 흰 바둑돌이 놓이는 경우는 모두 몇 번인지 구해 보세요.

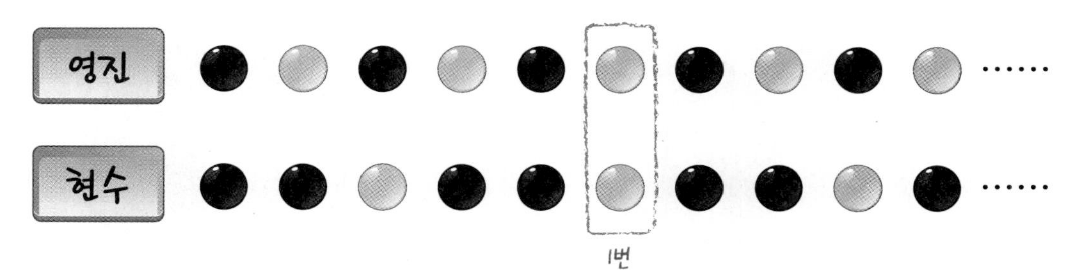

4주 사고력

❶ 영진이와 현수는 어떤 규칙으로 바둑돌을 놓았는지 □ 안에 알맞은 수를 써넣으세요.

영진 □의 배수 자리마다 흰 바둑돌을 놓았습니다.

현수 □의 배수 자리마다 흰 바둑돌을 놓았습니다.

❷ 흰 바둑돌이 같이 놓이는 자리는 어느 자리일까요?

(□의 배수 자리)

❸ 두 학생이 바둑돌을 40개씩 놓을 때, 같은 자리에 흰 바둑돌이 놓이는 경우는 모두 몇 번일까요?

( )

2 단계 교과 사고력 확장

1 다음 그림에서 겹쳐진 부분에 들어갈 수가 가장 많은 것은 어느 것인지 구해 보세요.

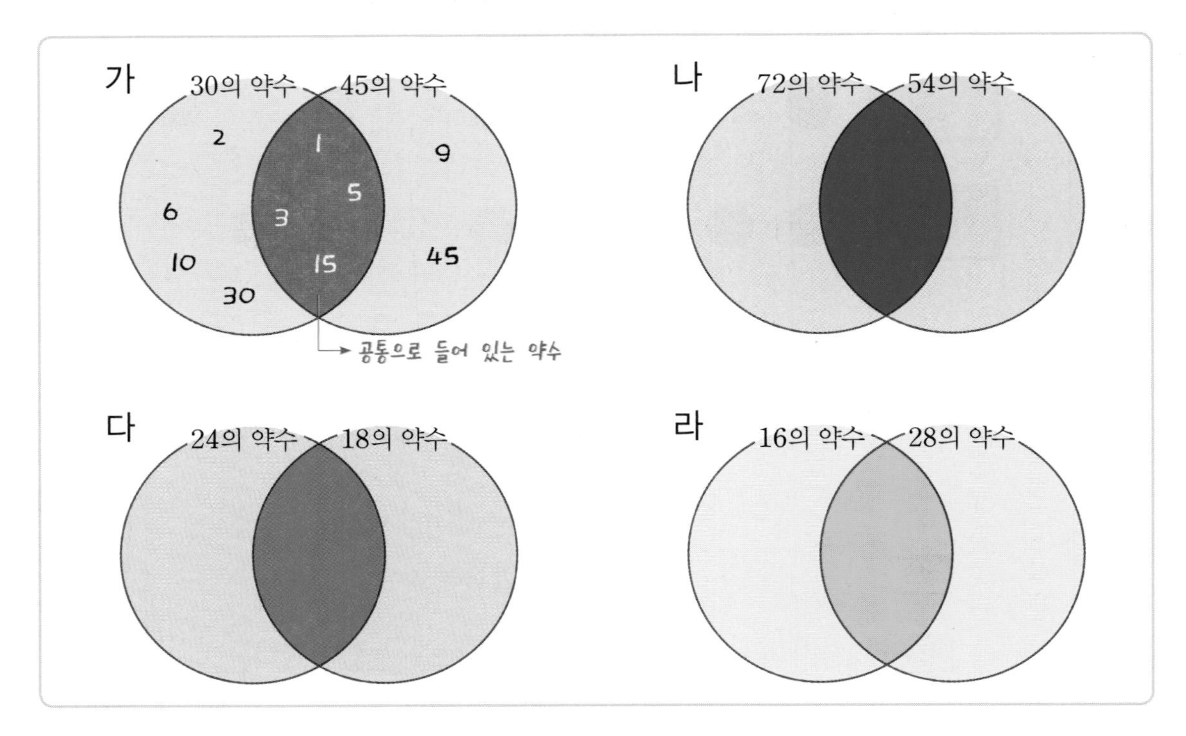

1. 가, 나, 다, 라의 겹쳐진 부분에 들어갈 수를 구해 보세요.

가 (1, 3, 5, 15)

나 ( )

다 ( )

라 ( )

2. 겹쳐진 부분에 들어갈 수가 가장 많은 것을 찾아 기호를 써 보세요.

( )

2

선생님께서는 주말 농장에서 고구마와 감자를 다음과 같이 수확하였습니다. 수확한 고구마와 감자를 최대한 많은 학생에게 남김없이 똑같이 나누어 주려고 합니다. 한 학생이 고구마와 감자를 각각 몇 개씩 받을 수 있는지 구해 보세요.

❶ 선생님은 고구마와 감자를 각각 몇 개씩 수확하였을까요?

고구마 (　　　　　　　　　　)
감자 (　　　　　　　　　　)

❷ 고구마와 감자를 최대 몇 명의 학생에게 나누어 줄 수 있을까요?

(　　　　　　　　　　)

❸ 한 학생이 고구마와 감자를 각각 몇 개씩 받을 수 있을까요?

고구마 (　　　　　　　　　　)
감자 (　　　　　　　　　　)

준비물 붙임딱지

3

지우는 3일마다 수영장에 가고, 4일마다 탁구장에 갑니다. 4월 1일에 수영장과 탁구장 두 군데 모두 갔다면 4월 한 달 동안 수영장과 탁구장 두 군데 모두 가는 날은 모두 몇 번인지 구해 보세요.

4월

일	월	화	수	목	금	토
		1	2	3	4	5
6	7	8	9	10	11	12
13	14	15	16	17	18	19
20	21	22	23	24	25	26
27	28	29	30			

1. 4월 한 달 동안 수영장에 가는 날에 수영 붙임딱지를 붙여 보세요.

2. 4월 한 달 동안 탁구장에 가는 날에 탁구 붙임딱지를 붙여 보세요.

3. 4월 한 달 동안 수영장과 탁구장에 모두 가는 날은 몇 번일까요?

( )

4 다음을 보고 주어진 식을 계산해 보세요.

가◎나: 가와 나의 최대공약수

가☆나: 가와 나의 최소공배수

＜가＞: 약수의 개수

❶ (16◎20)☆＜12＞

(　　　　　　　　)

❷ ＜6＞＋＜20＞－(36◎42)

(　　　　　　　　)

❸ (15☆18)◎(18☆42)

(　　　　　　　　)

3단계 교과 사고력 완성

평가 영역 □개념 이해력 □개념 응용력 ☑창의력 □문제 해결력

1 1부터 9까지의 수를 한 번씩 써넣어 수 상자를 완성하려고 합니다. 각 줄에 있는 수는 (구름)에 쓰여진 수의 약수 중에 있는 수이어야 합니다. 보기 와 같은 방법으로 수 상자를 완성해 보세요.

보기

• 수 상자에 1부터 4까지의 수를 한 번씩 써넣기

1	2	2
3	4	12
3	4	

㉠ 2의 약수는 1, 2이므로 2를 써넣습니다.
㉡ 3의 약수는 1, 3이므로 3을 써넣습니다.

①

		1	8
6			42
	2	5	90
36	24	35	

②

	1		28
2			40
	6		18
42	30	72	

평가 영역 ☐개념 이해력 ☑개념 응용력 ☐창의력 ☐문제 해결력

2

다음은 3과 9의 배수를 만든 것입니다. 구한 배수의 각 자리 숫자의 합을 각각 구해 보고 3의 배수와 9의 배수를 알아보는 방법이 있는지 규칙을 말해 보세요.

×	2	3	5	7	11	12	21	25	98
3	6	9	15	21	33	36	63	75	294
9	18	27	45	63	99	108	189	225	882

❶ 3의 배수들의 각 자리의 숫자의 합을 모두 써넣어 표를 완성하고 어떤 규칙이 있는지 찾아 보세요.

3의 배수	6	9	15	21	33	36	63	75	294
각 자리 숫자의 합	6	9	6						

➔ 규칙 각 자리의 숫자의 합이 ☐의 배수입니다.

❷ 9의 배수들의 각 자리의 숫자의 합을 모두 써넣어 표를 완성하고 어떤 규칙이 있는지 찾아 보세요.

9의 배수	18	27	45	63	99	108	189	225	882
각 자리 숫자의 합	9	9							

➔ 규칙 각 자리의 숫자의 합이 ☐의 배수입니다.

❸ 468이 9의 배수인지 알아보려고 합니다. ☐ 안에 알맞은 수를 써넣고, 알맞은 말에 ○표 하세요.

468의 각 자리의 숫자의 합은 $4+6+8=$ ☐입니다.

따라서 468은 9의 배수가 (맞습니다 , 아닙니다).

맞은 개수

1 다음 수의 약수를 모두 구해 보세요.

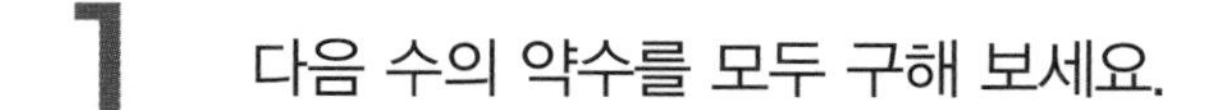

(1) 16 ➜ ____________________

(2) 28 ➜ ____________________

2 13의 배수를 가장 작은 수부터 차례로 5개 써 보세요.

( )

3 식을 보고 알맞은 말에 ○표 하세요.

$35=1\times35 \qquad 35=5\times7$

➜ 35는 1, 5, 7, 35의 (약수 , 배수)입니다.
　1, 5, 7, 35는 35의 (약수 , 배수)입니다.

4 어떤 수의 배수를 가장 작은 수부터 차례로 쓴 것입니다. □ 안에 알맞은 수를 써넣으세요.

7, 14, 21, 28, □, 42, 49, □……

5

두 수가 약수와 배수의 관계인 것에 모두 ○표 하세요.

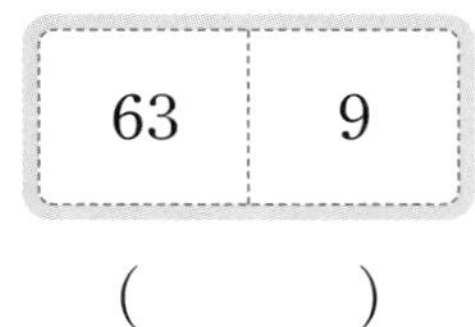

63	9

( )

8	98

( )

16	64

( )

14	4

( )

6

약수와 배수에 대한 설명으로 잘못된 것을 모두 찾아 기호를 써 보세요.

㉠ 1은 모든 수의 약수입니다.
㉡ 수가 클수록 약수의 수가 많습니다.
㉢ 어떤 수의 배수의 수는 무수히 많습니다.
㉣ 1은 어떤 수의 배수 중 가장 작은 수입니다.

( )

7

두 수의 최대공약수와 최소공배수를 구해 보세요.

(1)

$3 \,\underline{)\, 45 \quad 63}$

최대공약수: □

최소공배수: □

(2)

$\underline{)\, 40 \quad 32}$

최대공약수: □

최소공배수: □

8

11의 배수를 가장 작은 수부터 차례로 쓸 때, 14번째의 수를 써 보세요.

( )

9 두 수 가와 나의 최대공약수와 최소공배수를 각각 구해 보세요.

가 $= 2 \times 3 \times 3 \times 5$

나 $= 2 \times 3 \times 3 \times 7$

최대공약수 (　　　　　　　　)

최소공배수 (　　　　　　　　)

10 어떤 두 수의 최대공약수는 24입니다. 이 두 수의 공약수를 모두 구해 보세요.

(　　　　　　　　)

11 약수의 수가 많은 것부터 차례대로 기호를 써 보세요.

㉠ 32　　㉡ 40　　㉢ 48　　㉣ 33

(　　　　　　　　)

12 30은 ㉠의 배수입니다. ㉠이 될 수 있는 수를 모두 구해 보세요.

30,　㉠

(　　　　　　　　)

13

두 수의 최소공배수의 크기를 비교하여 ○ 안에 >, =, <를 알맞게 써넣으세요.

10, 15 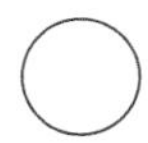 14, 21

14

20부터 50까지의 수 중에서 6과 12의 공배수인 수를 모두 써 보세요.

(　　　　　　　　　　)

15

딸기 42개와 바나나 36개를 최대한 많은 친구에게 남김없이 똑같이 나누어주려고 합니다. 최대 몇 명에게 줄 수 있을까요?

(　　　　　　　　　　)

16

두 수의 최대공약수와 최소공배수를 구하여 ⬭ 안에는 최대공약수를, ◇ 안에는 최소공배수를 써넣으세요.

(1)

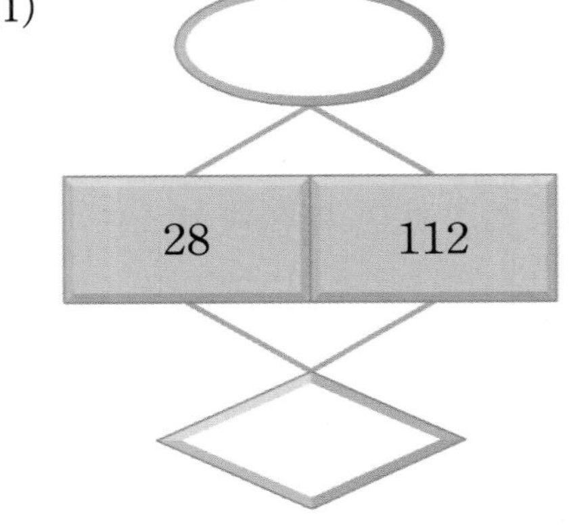

(2)

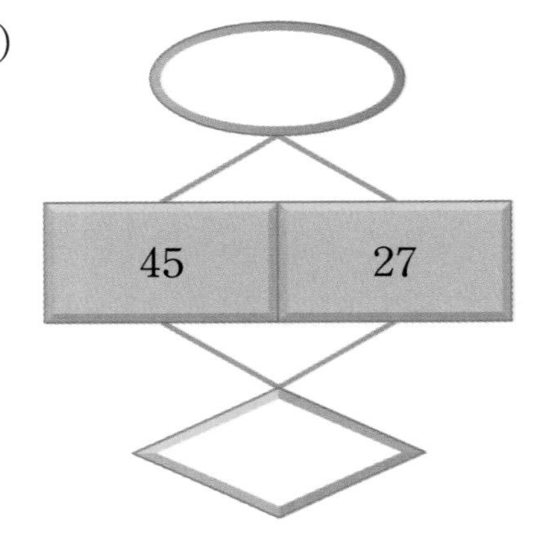

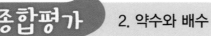

17 가와 나를 여러 수의 곱으로 나타낸 것입니다. 가와 나의 최대공약수가 18일 때 □ 안에 알맞은 수를 구해 보세요.

가$=2\times2\times\square\times3$
나$=2\times3\times3\times5$

(　　　　　　　　)

18 45와 64를 어떤 수로 나누면 나머지가 각각 3과 8입니다. 어떤 수를 구해 보세요.

(　　　　　　　　)

19 가로가 9 cm, 세로가 12 cm인 직사각형의 종이를 겹치지 않게 늘어놓아 가장 작은 정사각형을 만들려고 합니다. 정사각형의 한 변의 길이는 몇 cm로 해야 하는지 구해 보세요.

(　　　　　　　　)

20 어느 고속버스 터미널에서 광주행 버스는 15분마다 출발하고, 대전행 버스는 25분마다 출발한다고 합니다. 오전 9시에 광주행과 대전행 버스가 동시에 출발하였다면 다음 번에 동시에 출발하는 시각은 오전 몇 시 몇 분인지 구해 보세요.

(　　　　　　　　)

정답과 풀이 p.24

특강 창의·융합 사고력

1 옛날 우리 조상들은 나이를 세거나 연도를 계산할 때 색을 나타내는 십간과 12종류의 동물을 뜻하는 십이지를 순서대로 하나씩 짝을 지어 갑자년, 을축년, 병인년과 같이 그 해의 이름을 정해왔습니다. 다음 십간과 십이지의 표를 보고 물음에 답하세요.

십간(十干)	갑	을	병	정	무	기	경	신	임	계
	청(靑)		적(赤)		황(黃)		백(白)		흑(黑)	

십이지(十二支)	자	축	인	묘	진	사	오	미	신	유	술	해
	쥐	소	호랑이	토끼	용	뱀	말	양	원숭이	닭	개	돼지

(1) 2019년은 기해년으로 황금돼지의 해라고 합니다. 다시 기해년이 되는 것은 몇 년 후일까요?

( )

갑자년 다음 해는 을축년,
그 다음해는 병인년이에요.

(2) 2020년은 흰색 쥐의 해인 경자년입니다. 2020년 이후 다시 경자년이 되는 해는 몇 년일까요?

( )

Memo

문제의 알맞은 곳에 붙임딱지를 붙여 보세요.

14~15쪽

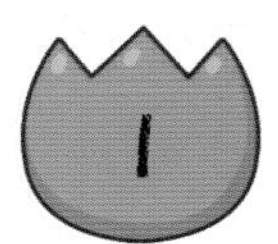

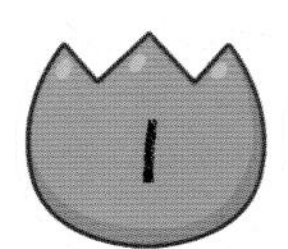

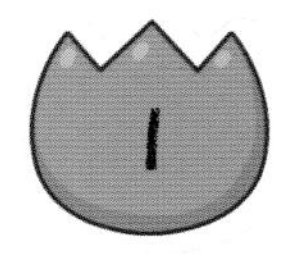

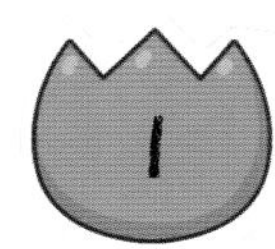

16~17쪽

32~33쪽

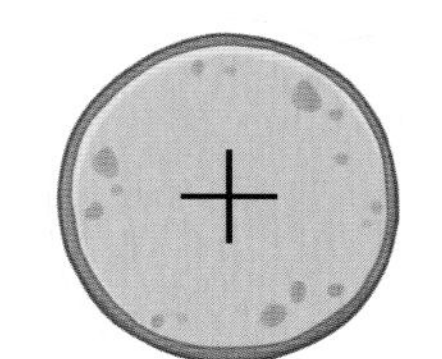

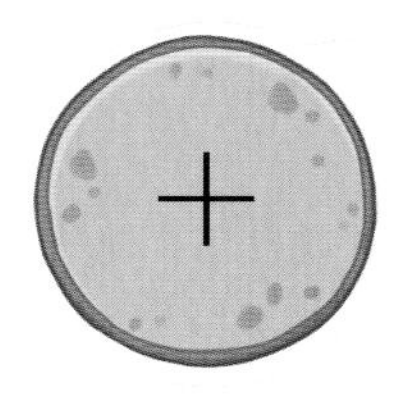

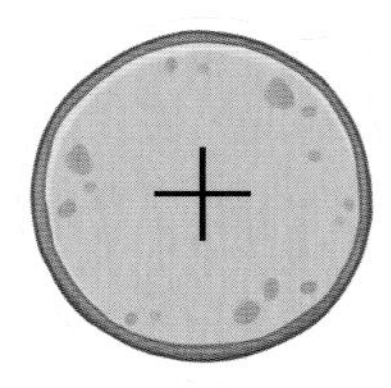

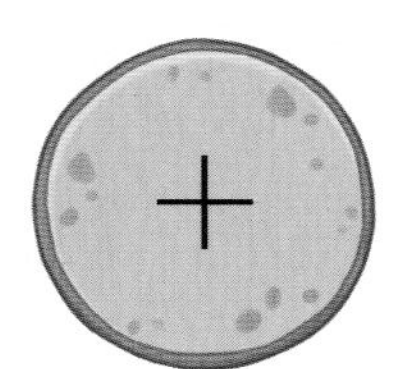

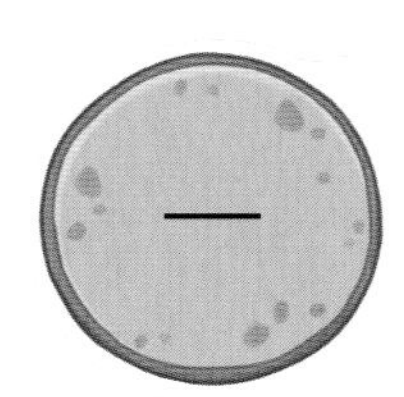

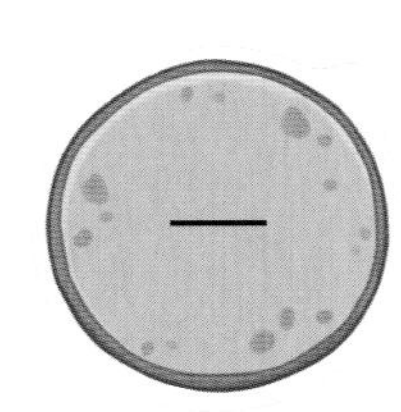

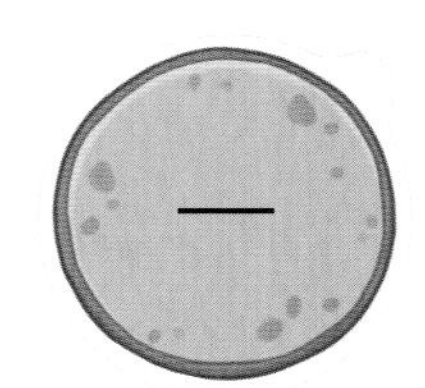

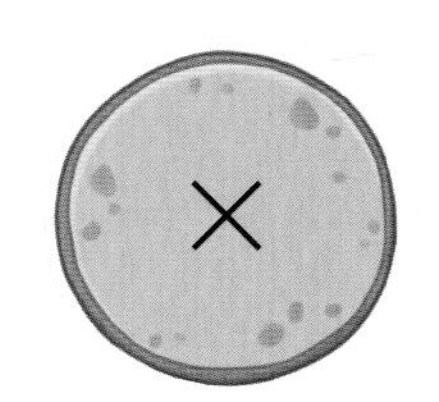

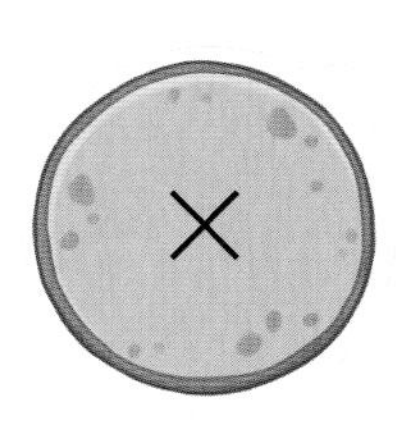

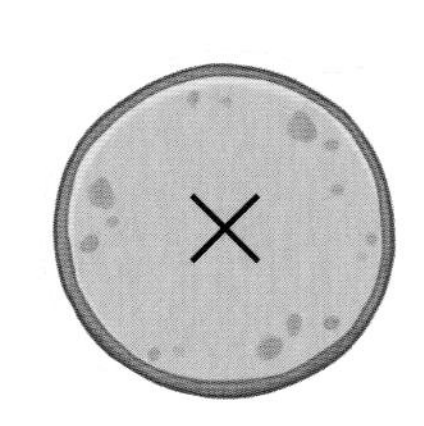

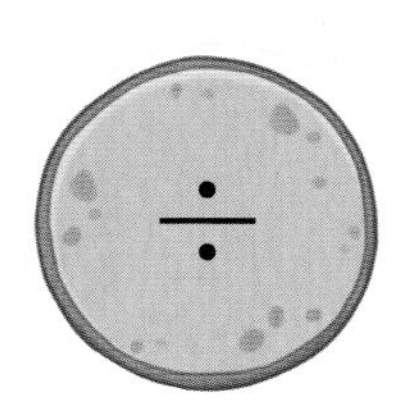

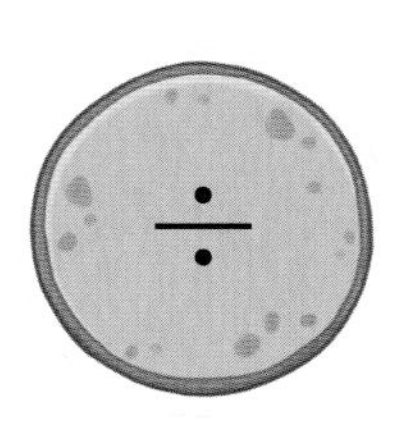

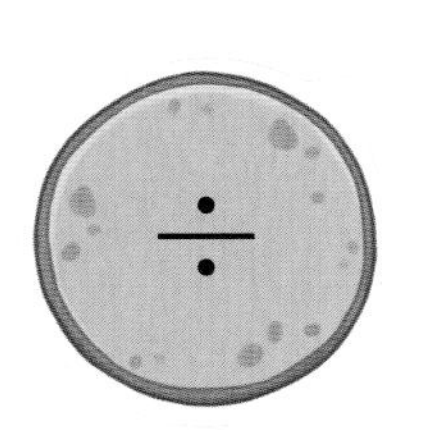

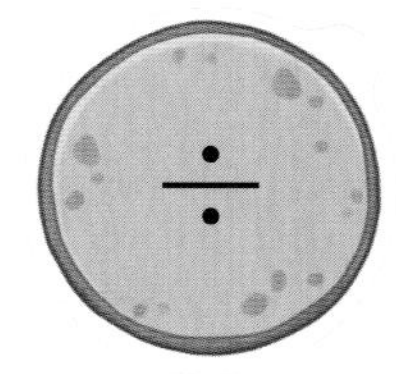

자르는 선

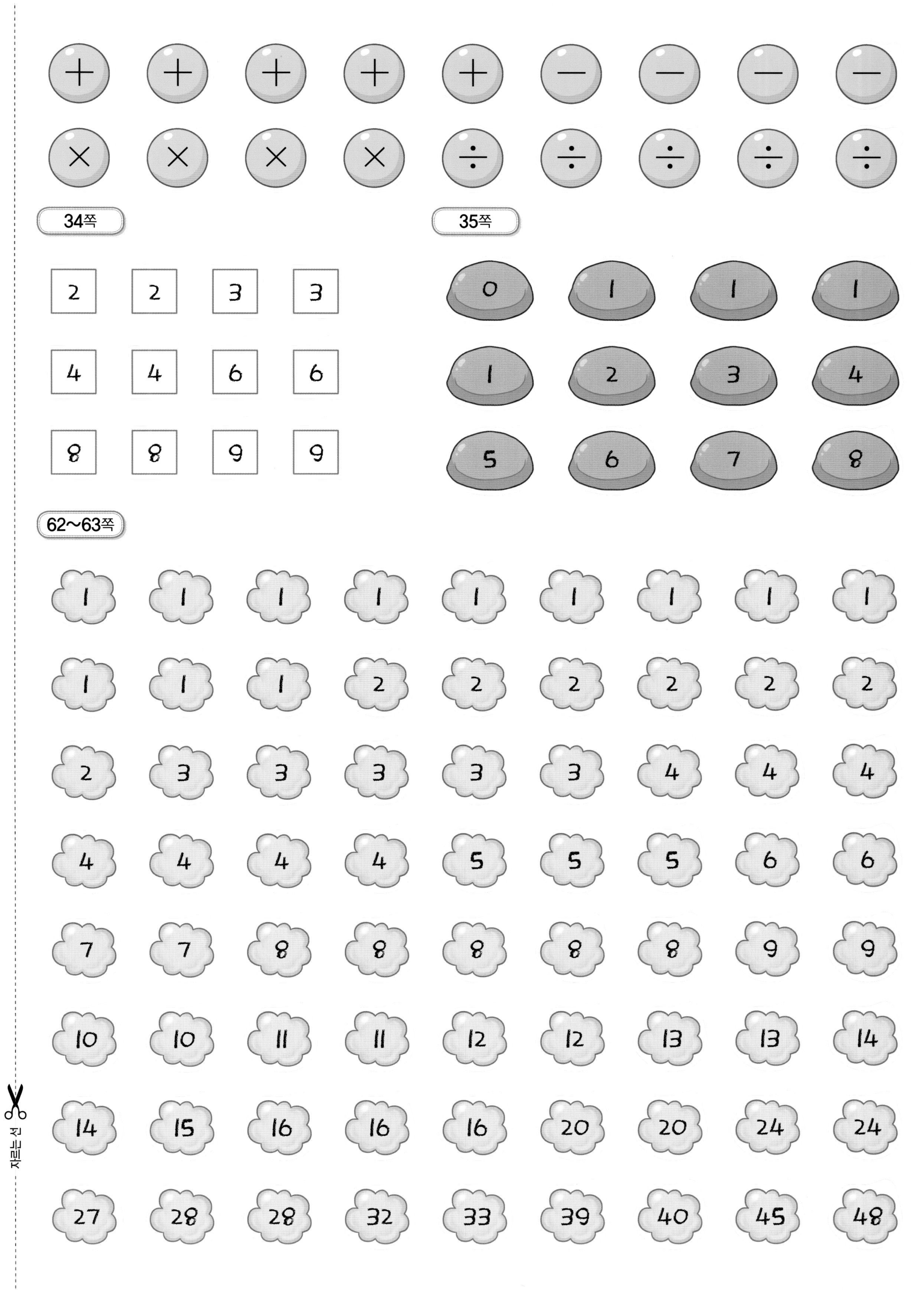
+ + + + + − − − −
× × × × ÷ ÷ ÷ ÷ ÷
34쪽
2 2 3 3
4 4 6 6
8 8 9 9
35쪽
0 1 1 1
1 2 3 4
5 6 7 8
62~63쪽
1 1 1 1 1 1 1 1 1
1 1 1 2 2 2 2 2 2
2 3 3 3 3 3 4 4 4
4 4 4 4 5 5 5 6 6
7 7 8 8 8 8 8 9 9
10 10 11 11 12 12 13 13 14
14 15 16 16 16 20 20 24 24
27 28 28 32 33 39 40 45 48
자르는 선

64~65쪽

4 5 5 6 6 8 8 8
9 10 10 10 12 12 14 15
15 15 16 16 16 16 18 18
18 20 20 20 20 21 24 24
24 24 24 25 25 27 28 30
30 30 30 30 32 32 32 36
36 36 40 40 40 40 42 42
45 45 48 48 48 48 50 50
54 54 56 60 60 60 63 64
70 72 72 75 80 84 84 90
90 96 96 105 108 120 126 144
자르는 선

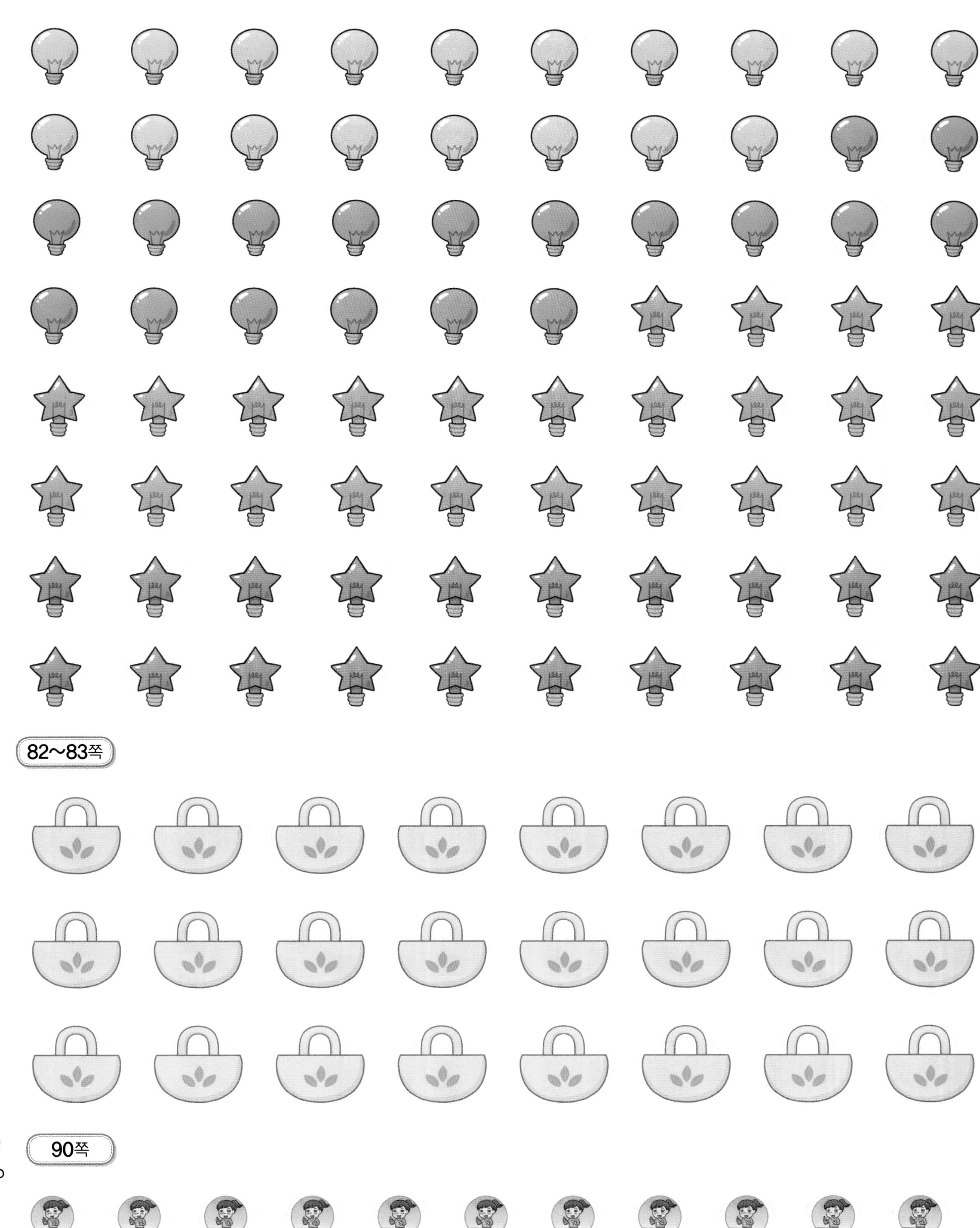

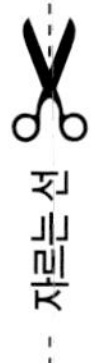
자르는 선

90쪽

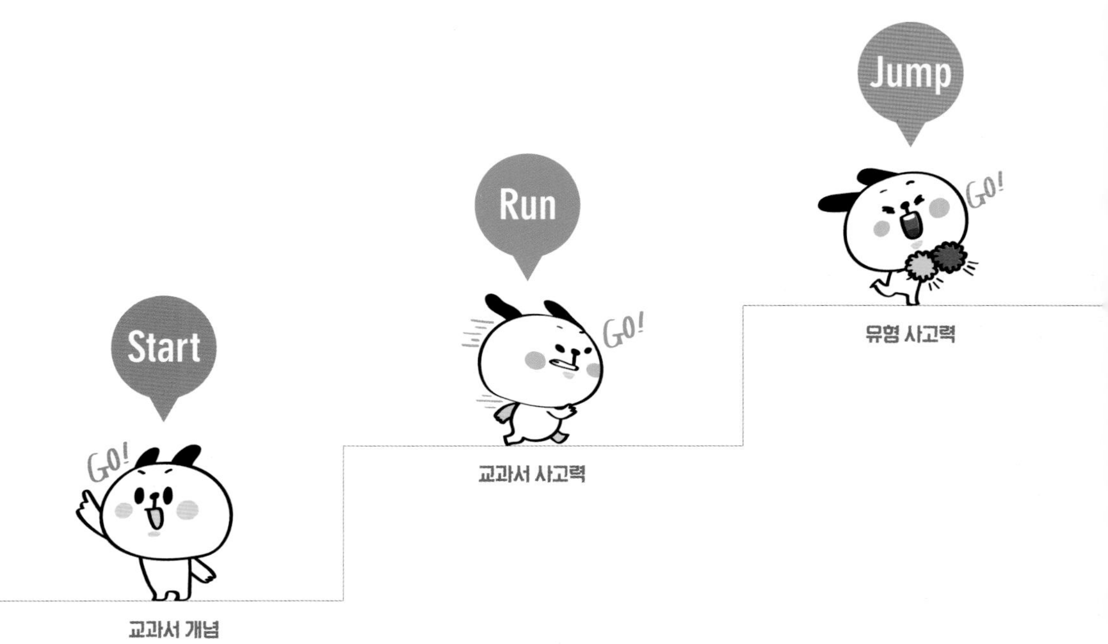
Start
GO!
교과서 개념
Run
GO!
교과서 사고력
Jump
GO!
유형 사고력

#난이도별 #천재되는_수학교재

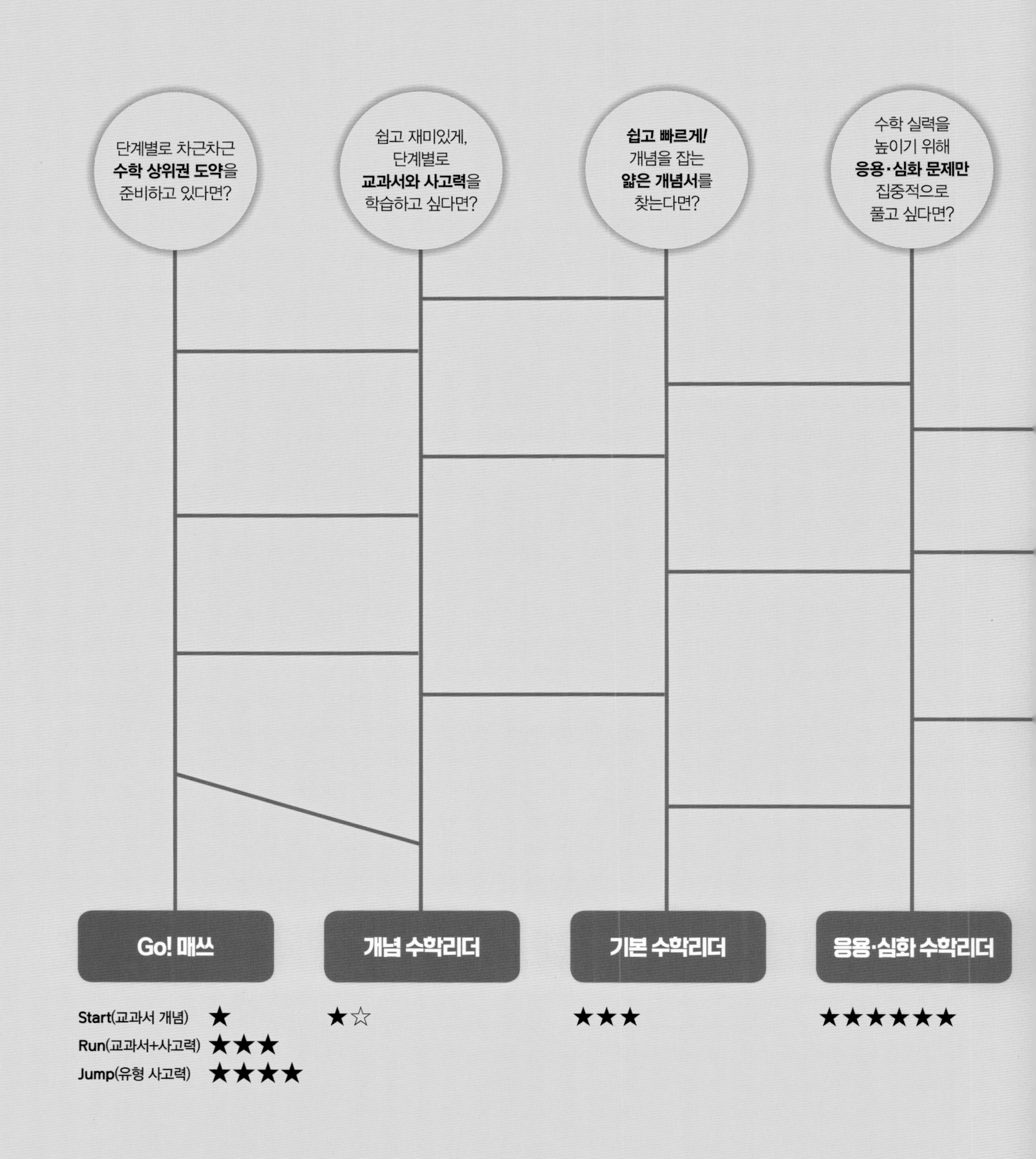
단계별로 차근차근 **수학 상위권 도약**을 준비하고 있다면?
쉽고 재미있게, 단계별로 **교과서와 사고력**을 학습하고 싶다면?
쉽고 빠르게! 개념을 잡는 **얇은 개념서**를 찾는다면?
수학 실력을 높이기 위해 **응용·심화 문제만** 집중적으로 풀고 싶다면?
Go! 매쓰
개념 수학리더
기본 수학리더
응용·심화 수학리더
Start(교과서 개념) ★
Run(교과서+사고력) ★★★
Jump(유형 사고력) ★★★★
★☆
★★★
★★★★★★

사고력 중심

교과서 GO! 사고력 GO!

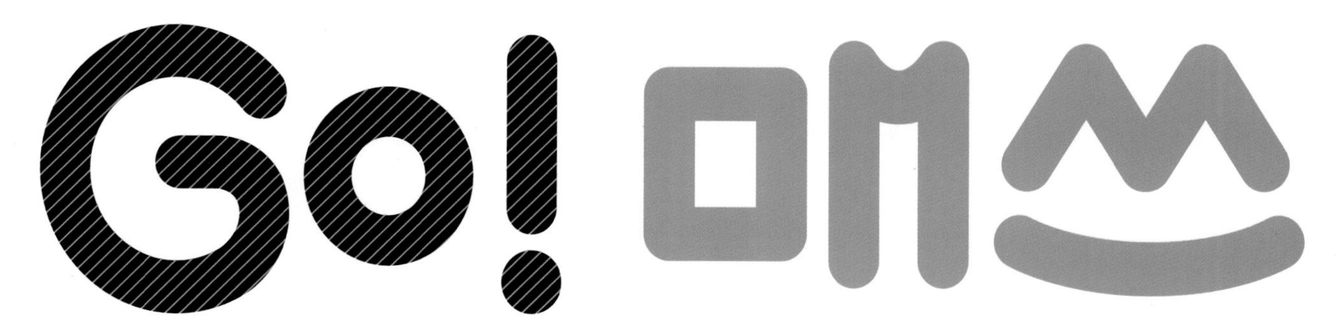

정답과 풀이

수학 5-1

정답과 해설
포인트 2가지

▶ 선생님이나 학부모가 쉽게 문제와 풀이를 한눈에 볼 수 있어요.

▶ 자세한 활동 수업에 대한 팁이 가득하게 들어 있어요.

1 자연수의 혼합 계산

자연수의 혼합 계산의 계산 순서

자연수의 혼합 계산에서 무엇보다 중요한 게 있죠. 바로 계산 순서입니다.
한 가지 연산이 아닌 덧셈, 뺄셈, 곱셈, 나눗셈, ( )가 섞여 있는 자연수의 혼합 계산에서는 왜 ( ) ➡ ×, ÷ ➡ +, − 순으로 계산하는지 알아볼까요?

왜 곱셈과 나눗셈을 먼저 계산할까요?

다음과 같은 두 가지 문제에 대하여 각각 식을 세워서 풀어 봐요.

문제1
연주는 별마트에서 600원짜리 지우개 1개와 900원짜리 딱풀 3개를 샀습니다. 연주가 내야 할 돈은 얼마입니까?

문제2
연주는 별마트에서 600원짜리 지우개와 900원짜리 딱풀을 각각 3개씩 샀습니다. 연주가 내야 할 돈은 얼마입니까?

위의 문제들을 식 '600+900×3'에 ( )를 적당히 넣어서 풀어 보면
문제1에 알맞은 식은 900×3을 ( )로 묶은 600+(900×3)이고,
문제2에 알맞은 식은 600+900을 ( )로 묶은 (600+900)×3이에요.

이와 같이 수학자들은 먼저 계산해야 하는 식을 괄호로 묶었어요. 그리고 시간과 잉크를 절약하기 위해 **문제1**의 식과 같이 괄호 안의 식이 곱셈이나 나눗셈이면 괄호를 씌우지 말자고 약속을 했대요.
따라서 곱셈을 덧셈보다 먼저 하는 규칙은 반드시 그래야만 하는 논리적인 이유가 있다기보다는 경험적이고 역사적인 결과로써 정해진 것이라 할 수 있어요.

우리는 마지막이지.
괄호 다음은 우리야.
괄호를 가장 먼저 계산해!
혼합 계산
계산 결과

포포즈(four fours) 게임

포포즈 게임은 19세기 말부터 20세기 초까지 미국에서 유행했던 퍼즐 중 하나입니다.
이름대로 네 개의 4와 사칙연산 기호(+, −, ×, ÷)와 괄호 등을 사용해 목표하는 자연수를 만드는 게임입니다.

(1) (4+4)÷(4+4)=1	(2) 4×4÷(4+4)=2
(3) (4×4−4)÷4=3	(4) 4×(4−4)+4=4
(5) (4×4+4)÷4=5	(6) (4+4)÷4+4=6
(7) 4−4÷4+4=7	(8) 4×4−4−4=8

네 개의 6과 +, −, ×, ÷, ( )를 사용하여 사물함의 번호를 만들었습니다. □ 안에 알맞은 수를 써넣으세요.

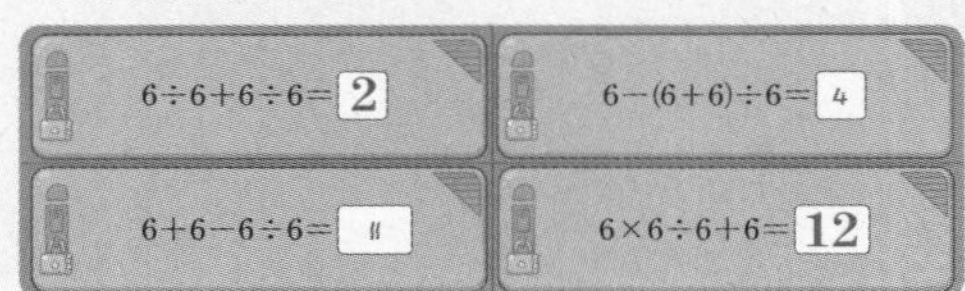

6÷6+6÷6=2
6−(6+6)÷6=4
6+6−6÷6=11
6×6÷6+6=12

네 개의 2와 +, −, ×, ÷, ( )를 사용하여 네 자리의 비밀번호를 만들었습니다. □ 안에 알맞은 수를 써넣고, 비밀번호를 구해 보세요.

비밀번호 입력

<비밀번호>
첫 번째 자리 숫자: 2÷2+2+2=5
두 번째 자리 숫자: 2−2+2÷2=1
세 번째 자리 숫자: 2×2+2×2=8
네 번째 자리 숫자: 2+2÷2×2=4
➡ 비밀번호: 5 1 8 4

1단계 교과서 개념 잡기

개념 1 덧셈과 뺄셈이 섞여 있는 식

• 덧셈과 뺄셈이 섞여 있는 식의 계산 순서 알아보기
덧셈과 뺄셈이 섞여 있는 식에서는 앞에서부터 차례로 계산합니다.

42−16+9=26+9=35
① 42−16=26
② 26+9=35

• 덧셈과 뺄셈이 섞여 있고 ( )가 있는 식의 계산 순서 알아보기
덧셈과 뺄셈이 섞여 있고 ( )가 있는 식에서는 ( ) 안을 먼저 계산합니다.

42−(16+9)=42−25=17
① 16+9=25
② 42−25=17

• ( )가 없는 식과 있는 식의 계산 결과 비교하기

( )가 없는 식	( )가 있는 식
42−16+9=26+9=35	42−(16+9)=42−25=17

➡ 왼쪽 식은 앞에서부터 차례로 계산하지만 오른쪽 식은 괄호가 있어서 괄호 안을 먼저 계산하기 때문에 두 식의 계산 결과가 다를 수 있습니다.

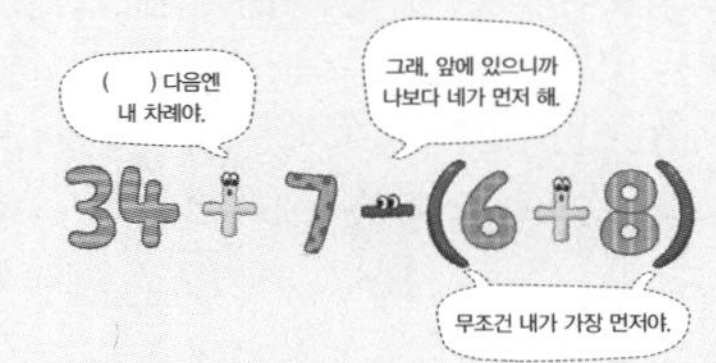

( ) 다음엔 내 차례야.
그래, 앞에 있으니까 나보다 네가 먼저 해.
34+7−(6+8)
무조건 내가 가장 먼저야.

개념 확인 문제

정답과 풀이 p.1

1-1 □ 안에 알맞은 수를 써넣으세요.

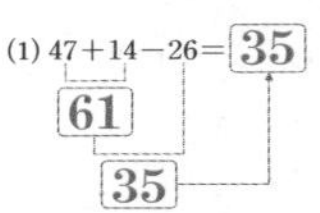

(1) 47+14−26=35 (61, 35)
(2) 51−17+29=63 (34, 63)

✤ 덧셈과 뺄셈이 섞여 있는 식에서는 앞에서부터 차례로 계산합니다.

1-2 보기와 같이 계산 순서를 나타내고 계산해 보세요.

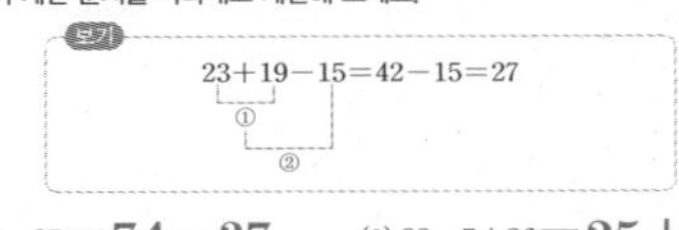

보기
23+19−15=42−15=27

(1) 60+14−37=74−37=37
(2) 32−7+26=25+26=51

1-3 □ 안에 알맞은 수를 써넣으세요.

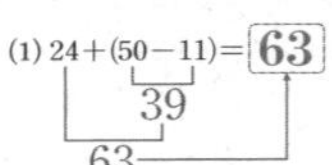

(1) 24+(50−11)=63 (39, 63)
(2) 60−(4+18)=38 (22, 38)

✤ ( )가 있는 식에서는 ( ) 안을 먼저 계산합니다.

1-4 계산 결과가 같으면 ○표, 다르면 ×표 하세요.

(1) 55−29+16 / 55−(29+16) (×)
(2) 47+25−19 / 47+(25−19) (○)

✤ 덧셈과 뺄셈이 섞여 있는 식에서는 앞에서부터 차례로 계산합니다.
( )가 있는 식에서는 ( ) 안을 먼저 계산합니다.
(1) 55−29+16=42, 55−(29+16)=10
➡ 계산 결과가 다릅니다.
(2) 47+25−19=53, 47+(25−19)=53
➡ 계산 결과가 같습니다.

개념 2 곱셈과 나눗셈이 섞여 있는 식

- 곱셈과 나눗셈이 섞여 있는 식의 계산 순서 알아보기

곱셈과 나눗셈이 섞여 있는 식에서는 앞에서부터 차례로 계산합니다.

$96\div8\times4=12\times4=48$

① $96\div8=12$

② $12\times4=48$

- 곱셈과 나눗셈이 섞여 있고 ( )가 있는 식의 계산 순서 알아보기

곱셈과 나눗셈이 섞여 있고 ( )가 있는 식에서는 ( ) 안을 먼저 계산합니다.

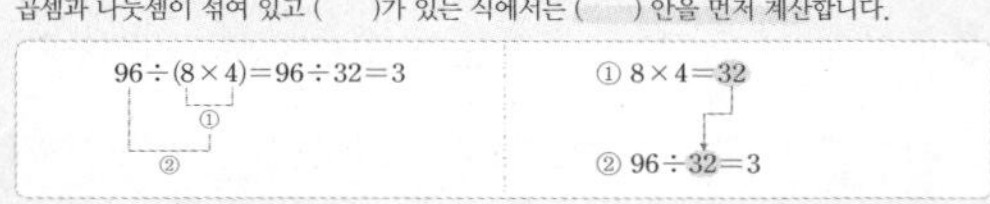

$96\div(8\times4)=96\div32=3$

① $8\times4=32$

② $96\div32=3$

- ( )가 없는 식과 있는 식의 계산 결과 비교하기

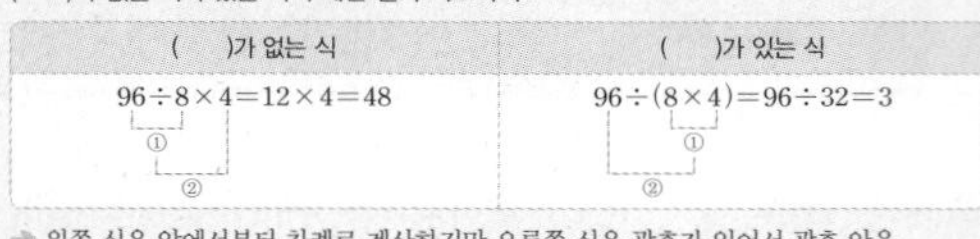

( )가 없는 식	( )가 있는 식
$96\div8\times4=12\times4=48$	$96\div(8\times4)=96\div32=3$

→ 왼쪽 식은 앞에서부터 차례로 계산하지만 오른쪽 식은 괄호가 있어서 괄호 안을 먼저 계산하기 때문에 두 식의 계산 결과가 다를 수 있습니다.

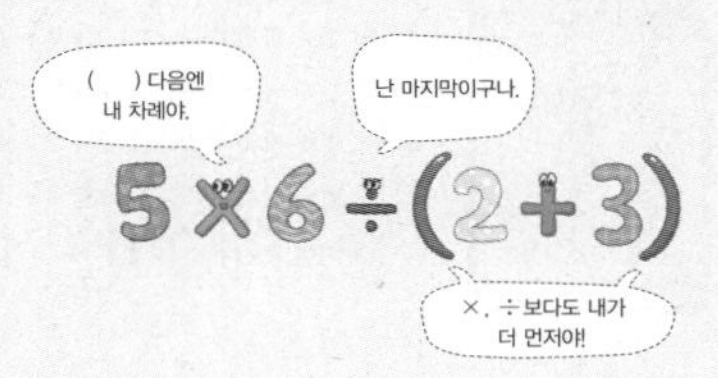

개념 확인 문제

정답과 풀이 p.2

2-1 계산 순서를 바르게 나타낸 것에 ○표 하세요.

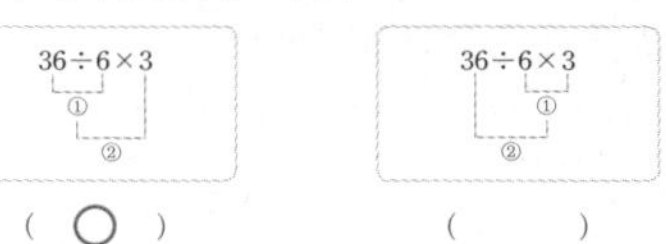

$36\div6\times3$ (○) $36\div6\times3$ ( )

❖ 곱셈과 나눗셈이 섞여 있는 식에서는 앞에서부터 차례로 계산합니다.

1주 교과서

2-2 □ 안에 알맞은 수를 써넣으세요.

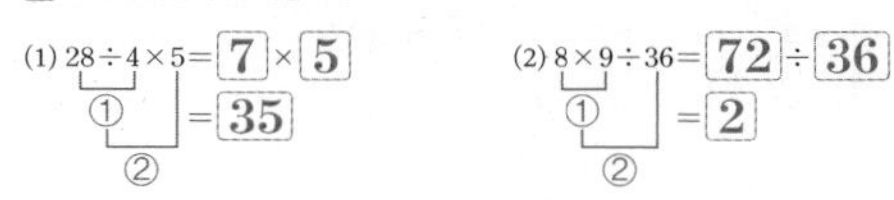

(1) $28\div4\times5=7\times5=35$

(2) $8\times9\div36=72\div36=2$

2-3 보기 와 같이 계산 순서를 나타내고 계산해 보세요.

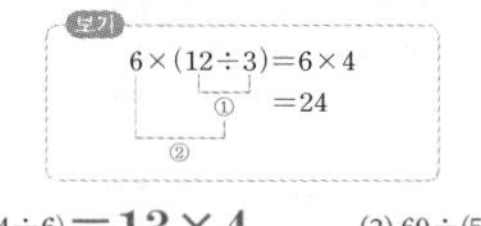

보기 $6\times(12\div3)=6\times4=24$

(1) $13\times(24\div6)=13\times4=52$

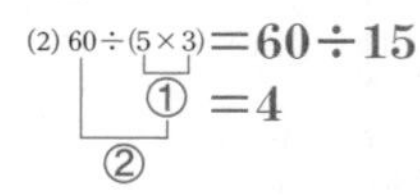

(2) $60\div(5\times3)=60\div15=4$

2-4 □ 안에 알맞은 수를 써넣으세요.

(1) $72\div(2\times6)=72\div12=6$

(2) $105\div(5\times7)=105\div35=3$

(3) $80\div(4\times5)=80\div20=4$

(4) $96\div(8\times3)=96\div24=4$

10쪽 ~ 11쪽

1 단계 교과서 개념 잡기

개념 3 덧셈, 뺄셈, 곱셈이 섞여 있는 식

덧셈, 뺄셈, 곱셈이 섞여 있는 식에서는 곱셈을 먼저 계산하고 ( )가 있으면 ( ) 안을 가장 먼저 계산합니다.

괄호가 없는 식	괄호가 있는 식
$43-4\times7+16=43-28+16=15+16=31$	$(43-4)\times7+16=39\times7+16=273+16=289$

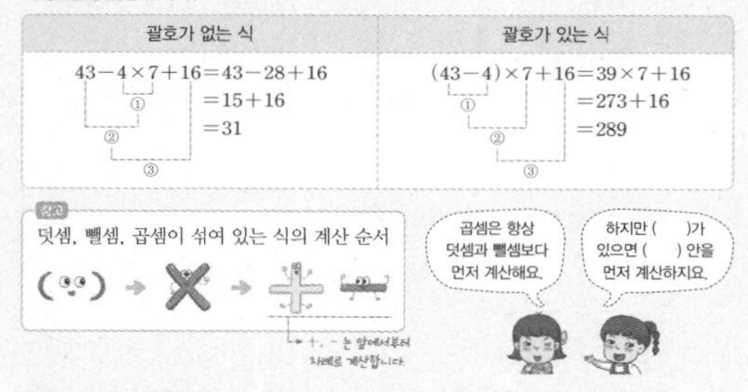

개념 4 덧셈, 뺄셈, 나눗셈이 섞여 있는 식

덧셈, 뺄셈, 나눗셈이 섞여 있는 식에서는 나눗셈을 먼저 계산하고 ( )가 있으면 ( ) 안을 가장 먼저 계산합니다.

괄호가 없는 식	괄호가 있는 식
$72-40\div8+15=72-5+15=67+15=82$	$(72-40)\div8+15=32\div8+15=4+15=19$

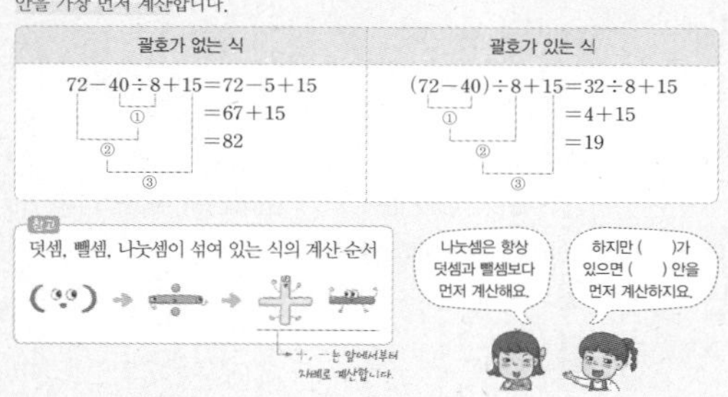

개념 확인 문제

정답과 풀이 p.2

3-1 가장 먼저 계산해야 하는 부분에 ○표 하세요.

(1) $36-28+24\times2$ (○: 24×2)

(2) $92-(13+7)\times4$ (○: $13+7$)

1주 교과서

3-2 □ 안에 알맞은 수를 써넣으세요.

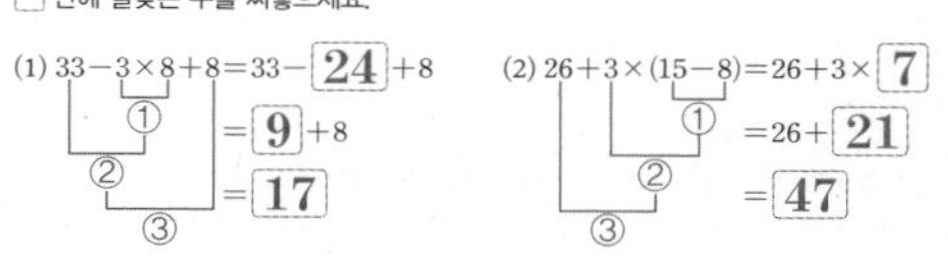

(1) $33-3\times8+8=33-24+8=9+8=17$

(2) $26+3\times(15-8)=26+3\times7=26+21=47$

4-1 계산 순서를 바르게 나타낸 것에 ○표 하세요.

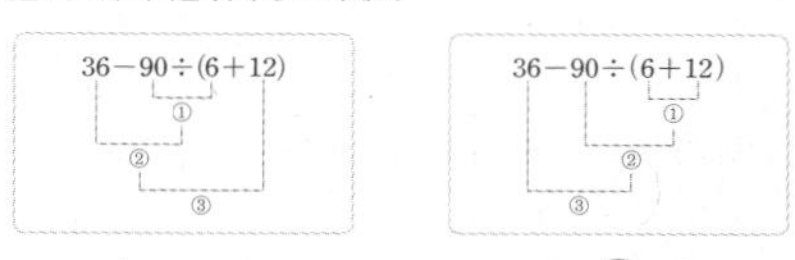

$36-90\div(6+12)$ ( ) $36-90\div(6+12)$ (○)

❖ 덧셈, 뺄셈, 나눗셈이 섞여 있고 ( )가 있는 식에서는 ( ) 안을 가장 먼저 계산합니다.

4-2 □ 안에 알맞은 수를 써넣으세요.

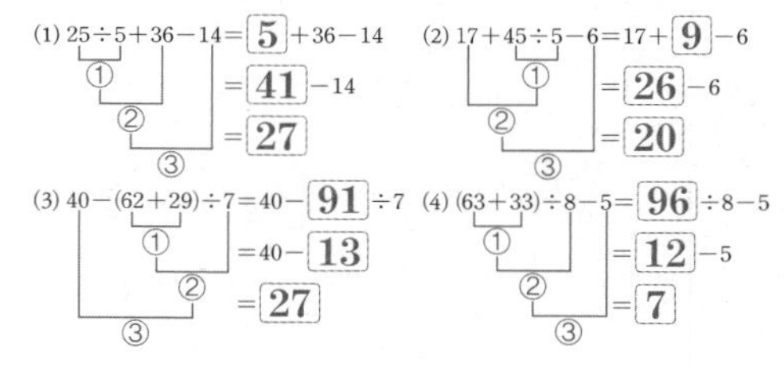

(1) $25\div5+36-14=5+36-14=41-14=27$

(2) $17+45\div5-6=17+9-6=26-6=20$

(3) $40-(62+29)\div7=40-91\div7=40-13=27$

(4) $(63+33)\div8-5=96\div8-5=12-5=7$

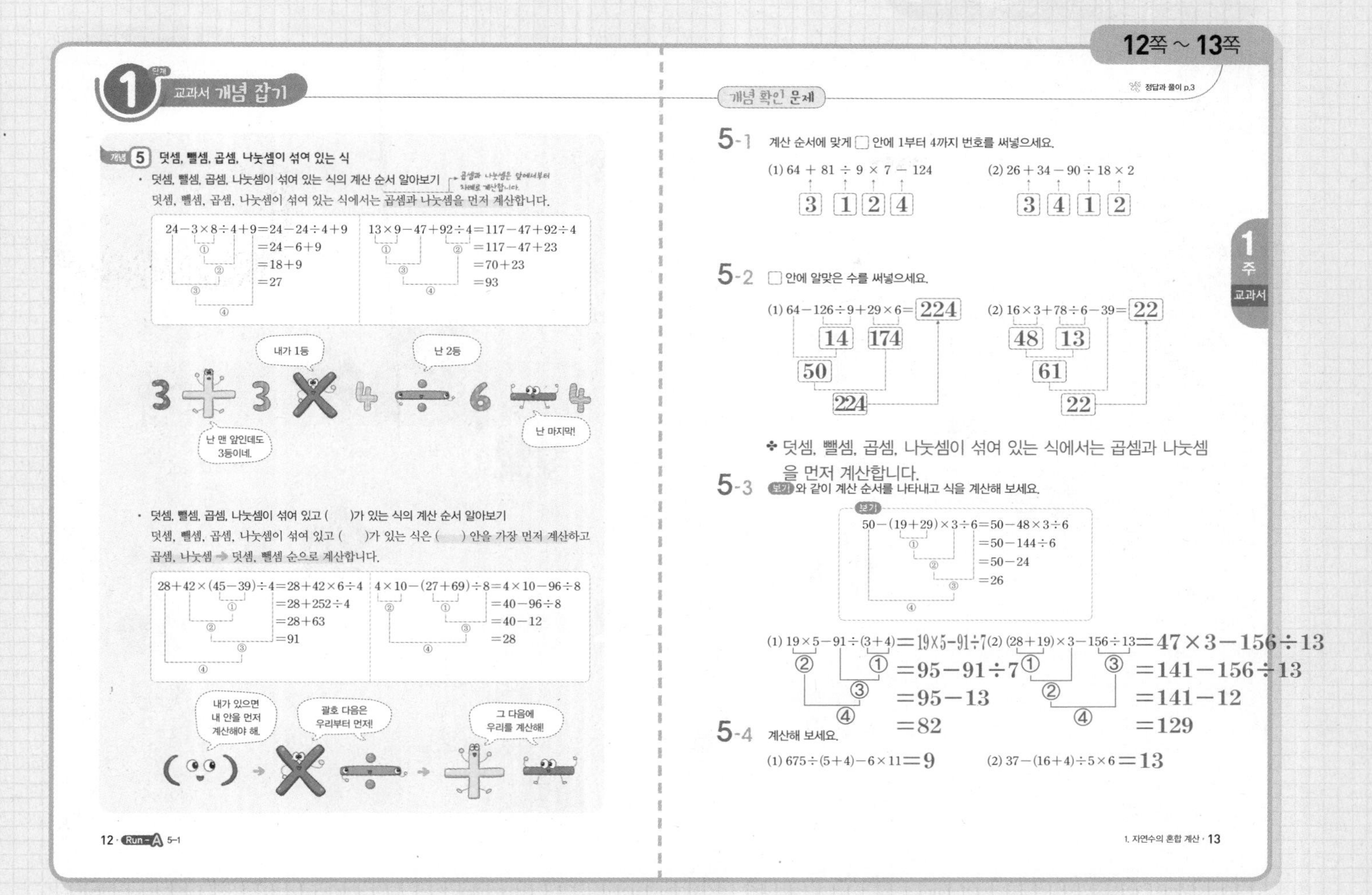

12쪽 ~ 13쪽

1단계 교과서 개념 잡기

개념 5 덧셈, 뺄셈, 곱셈, 나눗셈이 섞여 있는 식

• 덧셈, 뺄셈, 곱셈, 나눗셈이 섞여 있는 식의 계산 순서 알아보기 → 곱셈과 나눗셈은 앞에서부터 차례로 계산합니다.

덧셈, 뺄셈, 곱셈, 나눗셈이 섞여 있는 식에서는 곱셈과 나눗셈을 먼저 계산합니다.

$24-3\times8\div4+9=24-24\div4+9$
$=24-6+9$
$=18+9$
$=27$

$13\times9-47+92\div4=117-47+92\div4$
$=117-47+23$
$=70+23$
$=93$

내가 1등
난 2등
난 맨 앞인데도 3등이네.
난 마지막!

• 덧셈, 뺄셈, 곱셈, 나눗셈이 섞여 있고 ( )가 있는 식의 계산 순서 알아보기

덧셈, 뺄셈, 곱셈, 나눗셈이 섞여 있고 ( )가 있는 식은 ( ) 안을 가장 먼저 계산하고 곱셈, 나눗셈 → 덧셈, 뺄셈 순으로 계산합니다.

$28+42\times(45-39)\div4=28+42\times6\div4$
$=28+252\div4$
$=28+63$
$=91$

$4\times10-(27+69)\div8=4\times10-96\div8$
$=40-96\div8$
$=40-12$
$=28$

내가 있으면 내 안을 먼저 계산해야 해.
괄호 다음은 우리부터 먼저!
그 다음에 우리를 계산해!

12 · Run-A 5-1

개념 확인 문제 — 정답과 풀이 p.3

5-1 계산 순서에 맞게 □ 안에 1부터 4까지 번호를 써넣으세요.

(1) $64+81\div9\times7-124$ → 3, 1, 2, 4

(2) $26+34-90\div18\times2$ → 3, 4, 1, 2

5-2 □ 안에 알맞은 수를 써넣으세요.

(1) $64-126\div9+29\times6=224$ (14, 174, 50, 224)

(2) $16\times3+78\div6-39=22$ (48, 13, 61, 22)

✤ 덧셈, 뺄셈, 곱셈, 나눗셈이 섞여 있는 식에서는 곱셈과 나눗셈을 먼저 계산합니다.

5-3 보기 와 같이 계산 순서를 나타내고 식을 계산해 보세요.

보기
$50-(19+29)\times3\div6=50-48\times3\div6$
$=50-144\div6$
$=50-24$
$=26$

(1) $19\times5-91\div(3+4)=19\times5-91\div7$
$=95-91\div7$
$=95-13$
$=82$

(2) $(28+19)\times3-156\div13=47\times3-156\div13$
$=141-156\div13$
$=141-12$
$=129$

5-4 계산해 보세요.

(1) $675\div(5+4)-6\times11=9$

(2) $37-(16+4)\div5\times6=13$

1. 자연수의 혼합 계산 · 13

1주 교과서

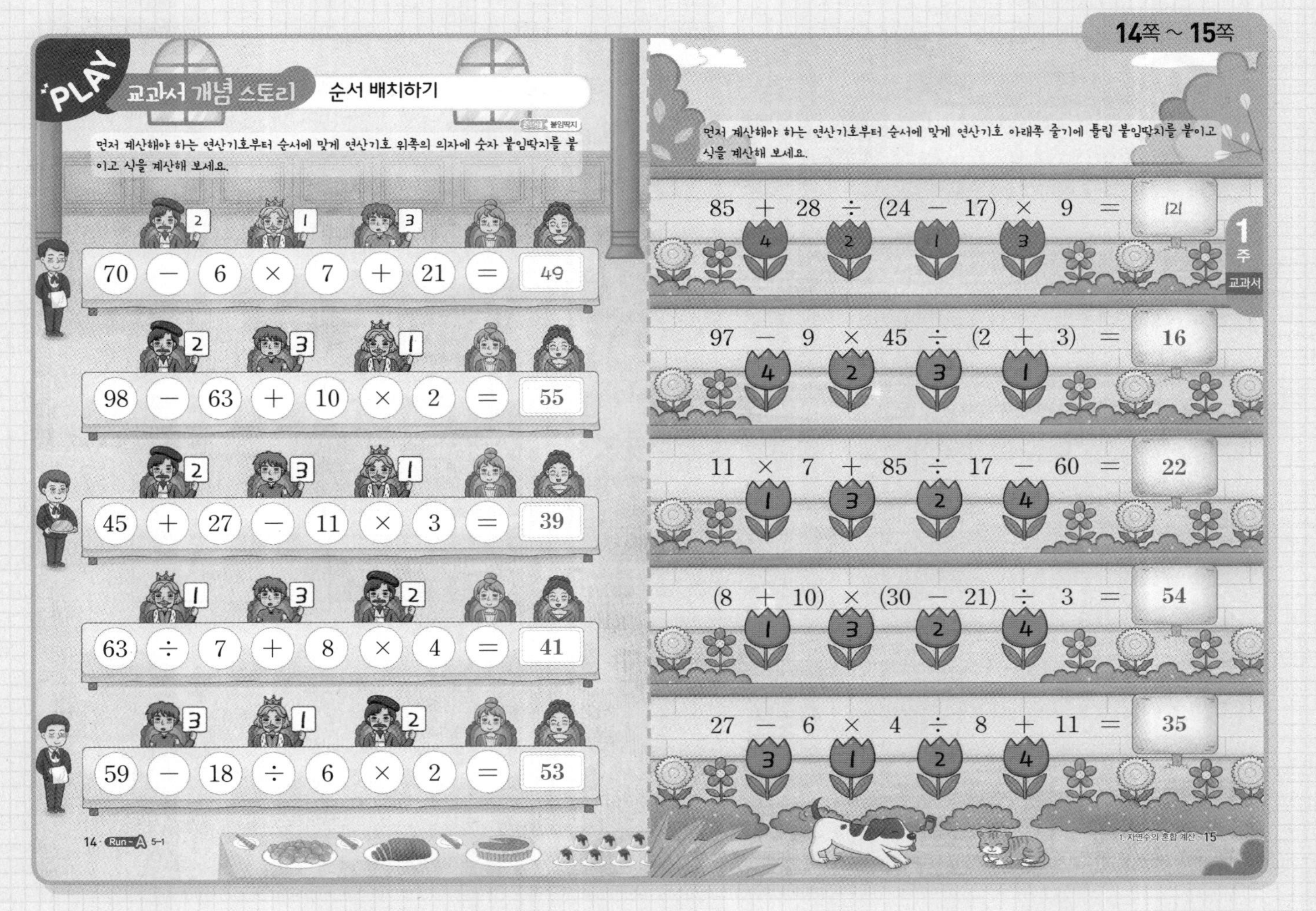

14쪽 ~ 15쪽

PLAY 교과서 개념 스토리 순서 배치하기

먼저 계산해야 하는 연산기호부터 순서에 맞게 연산기호 위쪽의 의자에 숫자 붙임딱지를 붙이고 식을 계산해 보세요.

$70-6\times7+21=49$ (2, 1, 3)

$98-63+10\times2=55$ (2, 3, 1)

$45+27-11\times3=39$ (2, 3, 1)

$63\div7+8\times4=41$ (1, 3, 2)

$59-18\div6\times2=53$ (3, 1, 2)

14 · Run-A 5-1

먼저 계산해야 하는 연산기호부터 순서에 맞게 연산기호 아래쪽 줄기에 튤립 붙임딱지를 붙이고 식을 계산해 보세요.

$85+28\div(24-17)\times9=121$ (4, 2, 1, 3)

$97-9\times45\div(2+3)=16$ (4, 2, 3, 1)

$11\times7+85\div17-60=22$ (1, 3, 2, 4)

$(8+10)\times(30-21)\div3=54$ (1, 3, 2, 4)

$27-6\times4\div8+11=35$ (3, 1, 2, 4)

1. 자연수의 혼합 계산 · 15

1주 교과서

16쪽 ~ 17쪽

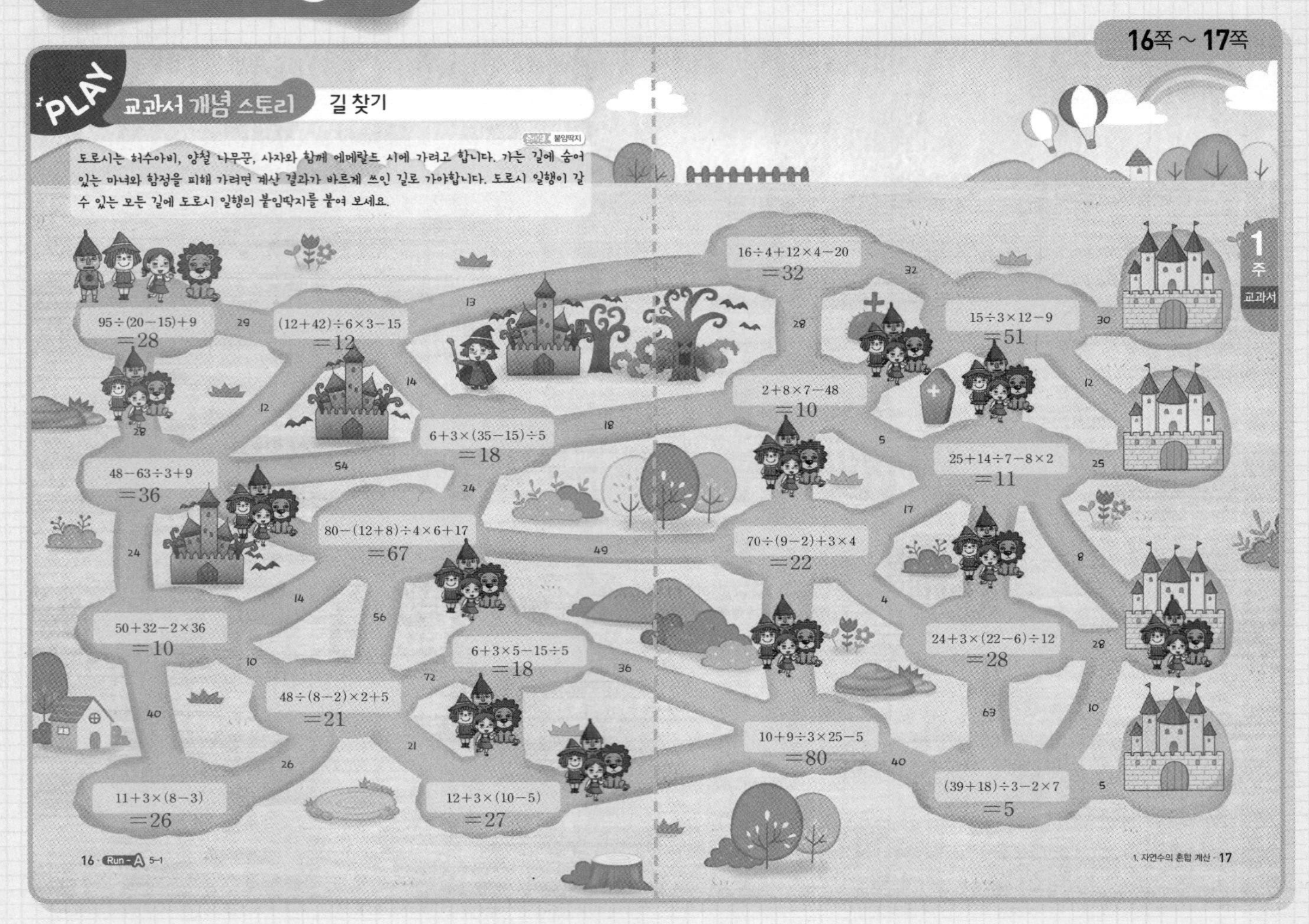

18쪽 ~ 19쪽

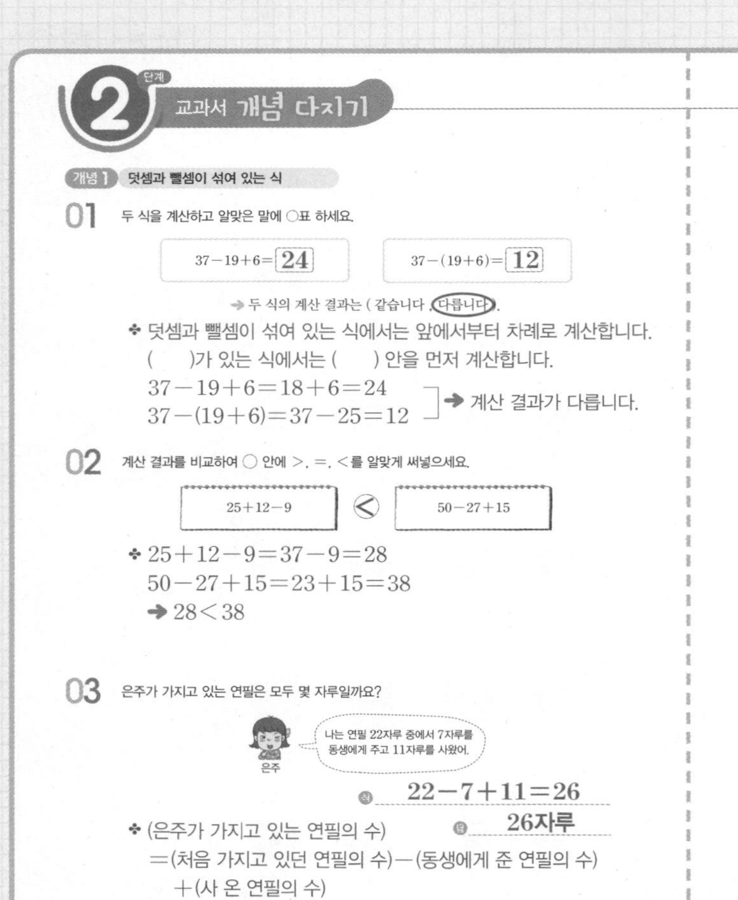
2단계 교과서 개념 다지기

개념 1 덧셈과 뺄셈이 섞여 있는 식

01 두 식을 계산하고 알맞은 말에 ○표 하세요.

37−19+6= **24**   37−(19+6)= **12**

→ 두 식의 계산 결과는 (같습니다 , (다릅니다)).

✤ 덧셈과 뺄셈이 섞여 있는 식에서는 앞에서부터 차례로 계산합니다.
( )가 있는 식에서는 ( ) 안을 먼저 계산합니다.
$37-19+6=18+6=24$
$37-(19+6)=37-25=12$ → 계산 결과가 다릅니다.

02 계산 결과를 비교하여 ○ 안에 >, =, <를 알맞게 써넣으세요.

25+12−9 (<) 50−27+15

✤ $25+12-9=37-9=28$
$50-27+15=23+15=38$
→ $28<38$

03 은주가 가지고 있는 연필은 모두 몇 자루일까요?

나는 연필 22자루 중에서 7자루를 동생에게 주고 11자루를 사왔어.
은주

식 **22−7+11=26**
답 **26자루**

✤ (은주가 가지고 있는 연필의 수)
=(처음 가지고 있던 연필의 수)−(동생에게 준 연필의 수)+(사 온 연필의 수)
$=22-7+11=15+11=26$(자루)

18 · Run-A 5-1

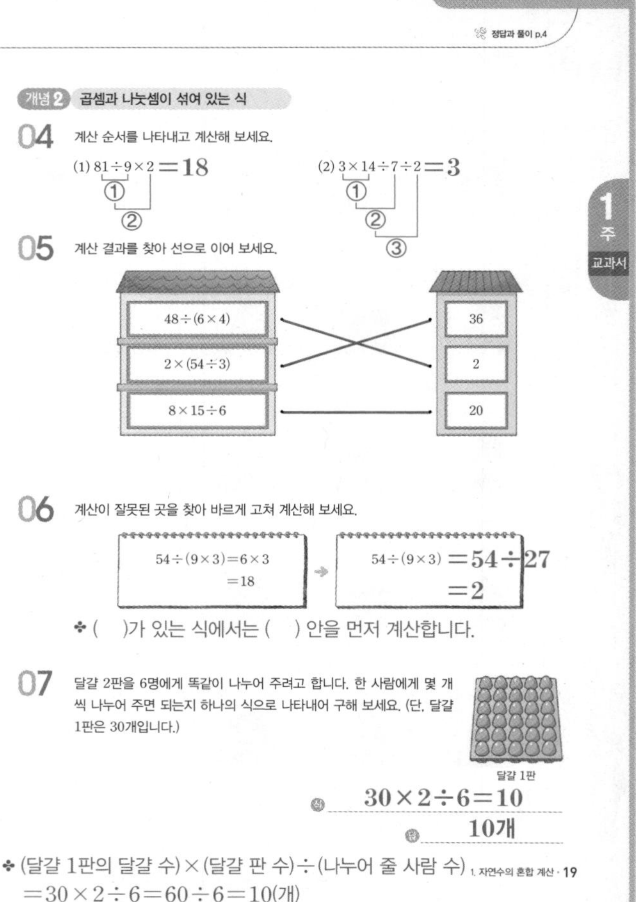
정답과 풀이 p.4

개념 2 곱셈과 나눗셈이 섞여 있는 식

04 계산 순서를 나타내고 계산해 보세요.

(1) 81÷9×2 **=18** (①, ②)
(2) 3×14÷7÷2 **=3** (①, ②, ③)

05 계산 결과를 찾아 선으로 이어 보세요.

48÷(6×4) — 2
2×(54÷3) — 36
8×15÷6 — 20

06 계산이 잘못된 곳을 찾아 바르게 고쳐 계산해 보세요.

54÷(9×3)=6×3
=18
→ 54÷(9×3) **=54÷27**
=2

✤ ( )가 있는 식에서는 ( ) 안을 먼저 계산합니다.

07 달걀 2판을 6명에게 똑같이 나누어 주려고 합니다. 한 사람에게 몇 개씩 나누어 주면 되는지 하나의 식으로 나타내어 구해 보세요. (단, 달걀 1판은 30개입니다.)

달걀 1판

식 **30×2÷6=10**
답 **10개**

✤ (달걀 1판의 달걀 수)×(달걀 판 수)÷(나누어 줄 사람 수)
$=30\times2\div6=60\div6=10$(개)

1. 자연수의 혼합 계산 · 19

정답과 풀이 p.5

개념 3 덧셈, 뺄셈, 곱셈이 섞여 있는 식

08 가장 먼저 계산해야 하는 부분에 ○표 하세요.

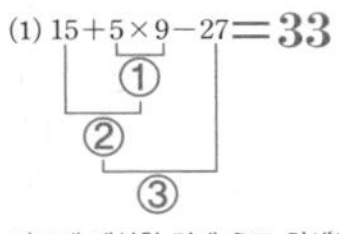

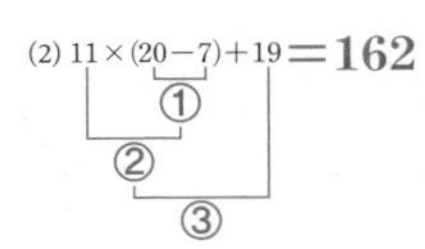

❖ (1) 덧셈, 뺄셈, 곱셈이 섞여 있는 식은 곱셈을 먼저 계산합니다.
(2) ( )가 있는 식에서는 ( ) 안을 먼저 계산합니다.

09 계산 순서를 나타내고 계산해 보세요.

(1) 15+5×9−27=33

(2) 11×(20−7)+19=162

10 바르게 계산한 것에 ○표 하세요.

26+2×(16−9)=40 (○)

36+19−4×5=255 ( )

❖ $26+2\times(16-9)=26+2\times7=26+14=40$
$36+19-4\times5=36+19-20=55-20=35$

11 엄마와 아빠 중에서 누구의 나이가 더 많습니까?

내 나이는 30+3×8−7살이야.
내 나이는 46살이야.
엄마
아빠

(엄마)

❖ 덧셈, 뺄셈, 곱셈이 섞여 있는 식은 곱셈을 먼저 계산합니다.
$30+3\times8-7=30+24-7=54-7=47$(살)
➔ $47>46$
따라서 엄마의 나이가 더 많습니다.

개념 4 덧셈, 뺄셈, 나눗셈이 섞여 있는 식

12 계산 순서에 맞게 □ 안에 1부터 3까지의 번호를 써넣으세요.

(1) 30 − 12 ÷ 4 + 7 → 2, 1, 3

(2) 24 + 6 ÷ (3 − 1) → 3, 2, 1

❖ (1) 덧셈, 뺄셈, 나눗셈이 섞여 있는 식은 나눗셈을 먼저 계산합니다.
(2) ( )가 있는 식에서는 ( ) 안을 먼저 계산합니다.

13 계산 결과가 같은 것끼리 선으로 이어 보세요.

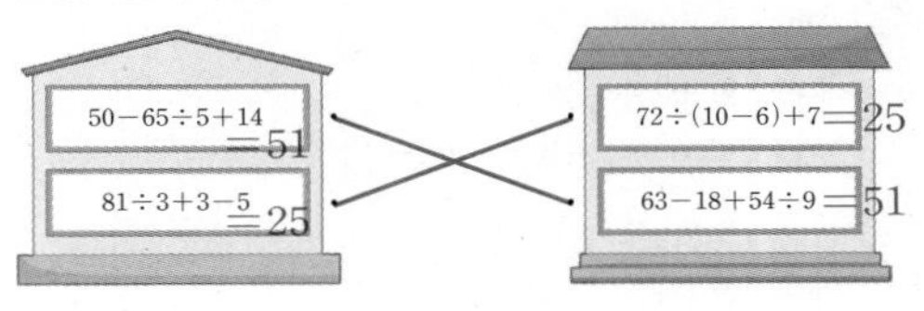

14 윤하가 나타내는 수를 구해 보세요.

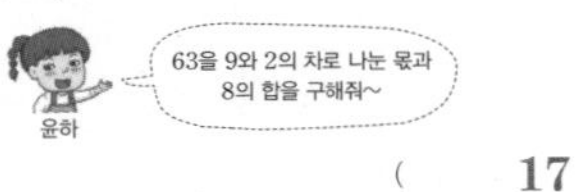

63을 9와 2의 차로 나눈 몫과 8의 합을 구해줘~
윤하

(17)

❖ $63\div(9-2)+8=63\div7+8=9+8=17$

15 사탕이 50개 있는데 사탕 13개를 더 사서 친구 9명에게 똑같이 나누어 주려고 합니다. 친구 1명에게 몇 개씩 나누어 줄 수 있는지 하나의 식으로 나타내어 구해 보세요.

식 (50+13)÷9=7

답 7개

❖ 사탕의 합을 친구의 수로 나눕니다.
$(50+13)\div9=63\div9=7$(개)

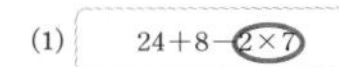

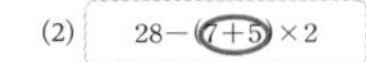

정답과 풀이 p.5

개념 5 덧셈, 뺄셈, 곱셈, 나눗셈이 섞여 있는 식

16 계산 순서에 맞게 기호를 차례대로 써 보세요.

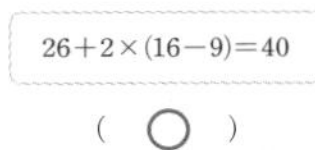

(㉡, ㉣, ㉠, ㉢)

❖ (1) $80-(29+9)\times3\div6=80-38\times3\div6=80-114\div6=80-19=61$
(2) $91-15\times4\div6+13=91-60\div6+13=91-10+13=81+13=94$

17 계산 순서를 나타내고 순서에 맞게 계산해 보세요.

(1) 80−(29+9)×3÷6=61

(2) 91−15×4÷6+13=94

18 계산 결과가 더 큰 것에 ○표 하세요.

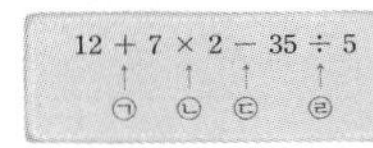

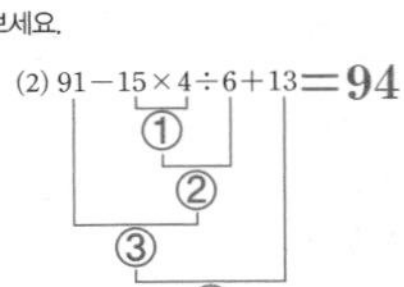

( ) (○)

❖ $48\div8+(36-23)\times2$
$=48\div8+13\times2$
$=6+13\times2$
$=6+26=32$

❖ $12\times4-(25+41)\div6$
$=12\times4-66\div6$
$=48-66\div6$
$=48-11$
$=37$

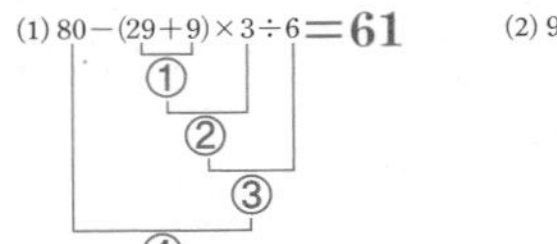

19 두 식의 계산 결과의 차를 빈칸에 써넣으세요.

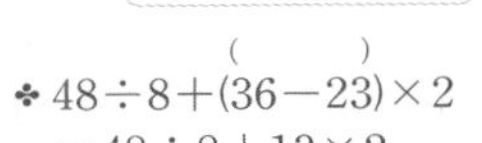

❖ $13+(42-14)\times3\div7=13+28\times3\div7=13+84\div7=13+12=25$
$13+42-14\times3\div7=13+42-42\div7=13+42-6=55-6=49$
따라서 두 식의 계산 결과의 차는 $49-25=24$입니다.

개념 6 하나의 식으로 나타내고 계산하기

20 보기와 같이 ( )를 사용하여 두 식을 하나의 식으로 나타내어 보세요.

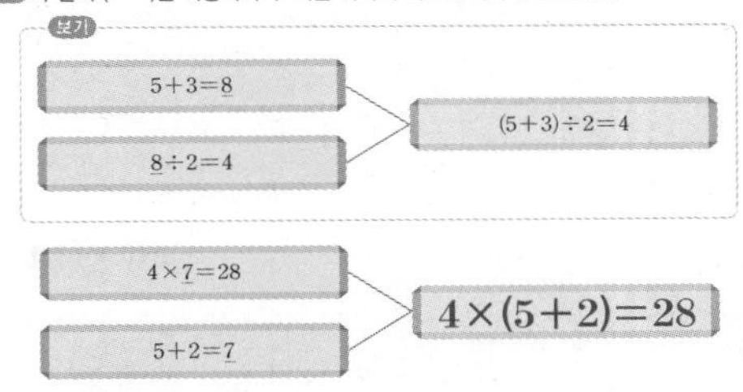

❖ 두 식의 공통인 수는 7이므로 $4\times7=28$에서 7 대신 $(5+2)$를 넣어 식을 완성합니다.

21 은주와 현서가 말한 두 식을 ( )를 사용하여 하나의 식으로 나타내어 보세요.

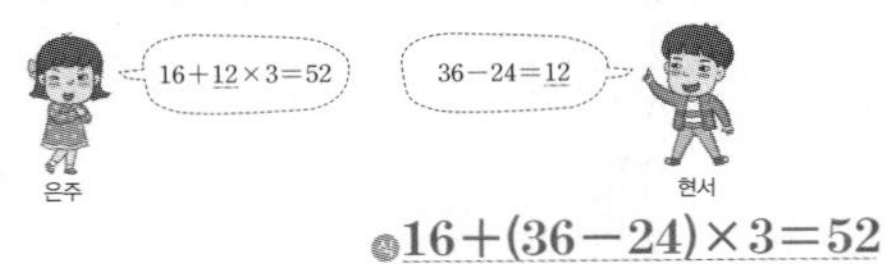

16+12×3=52
36−24=12
은주
현서

식 16+(36−24)×3=52

❖ 두 식의 공통인 수는 12이므로 $16+12\times3=52$에서 12 대신 $(36-24)$를 넣어 식을 완성합니다.

22 두 식을 하나의 식으로 나타내어 보세요.

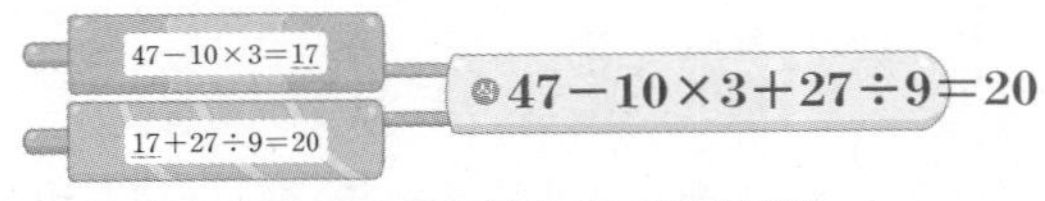

❖ 두 식에 17이 공통으로 들어 있으므로 아래 식에서 17 대신 위 식의 $47-10\times3$을 넣습니다.

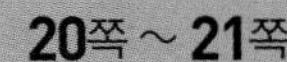

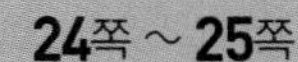

정답과 풀이 p.6

말을 식으로 나타내기

1 하나의 식으로 나타내고 계산해 보세요.

47에서 9와 4의 곱을 뺀 수

식 $47-9\times4=11$

답 11

개념 피드백
- ■에서 ●와 ▲의 곱을 뺀 수 구하기
  ① ●와 ▲의 곱 ➡ ●×▲
  ② ■에서 ●×▲를 뺀 수 ➡ ■−●×▲

✤ $47-9\times4=47-36=11$

1-1 하나의 식으로 나타내고 계산해 보세요.

8과 10의 곱을 4로 나눈 몫에서 5를 뺀 수

식 $8\times10\div4-5=15$

답 15

✤ $8\times10\div4-5=80\div4-5=20-5=15$

1-2 ( )를 사용하여 하나의 식으로 나타내고 계산해 보세요.

14보다 6 큰 수를 3배 한 수를 5로 나눈 몫

식 $(14+6)\times3\div5=12$

답 12

✤ $(14+6)\times3\div5=20\times3\div5=60\div5=12$

어떤 수 구하기

2 □ 안에 알맞은 수를 구해 보세요.

$4\times\square+8-3=25$

답 5

개념 피드백
- 어떤 수를 구하는 방법
  ① 계산 순서를 알아봅니다.
  ② 계산 순서를 거꾸로 생각하여 어떤 수를 구합니다.
  ③ 답이 맞는지 확인합니다.

✤ $4\times\square+8-3=25$
□의 값을 구하기 위해 계산 순서를 거꾸로 생각하여 계산합니다.
$4\times\square+8=25+3$, $4\times\square+8=28$, $4\times\square=28-8$,
$4\times\square=20$, $\square=20\div4$, $\square=5$

2-1 얼룩진 부분에 알맞은 수를 구해 보세요.

$(90-●)+24\div6=85$

(9)

✤ 얼룩진 부분에 알맞은 수를 □라 하면
$(90-\square)+24\div6=85$ ➡ $(90-\square)+4=85$
□의 값을 구하기 위해 계산 순서를 거꾸로 생각하여 계산합니다.
$90-\square=85-4$, $90-\square=81$, $\square=90-81$, $\square=9$

2-2 보물 상자를 열 수 있는 열쇠를 찾으려고 합니다. 다음을 읽고 어떤 열쇠로 열 수 있는지 알맞은 열쇠에 ○표 하세요.

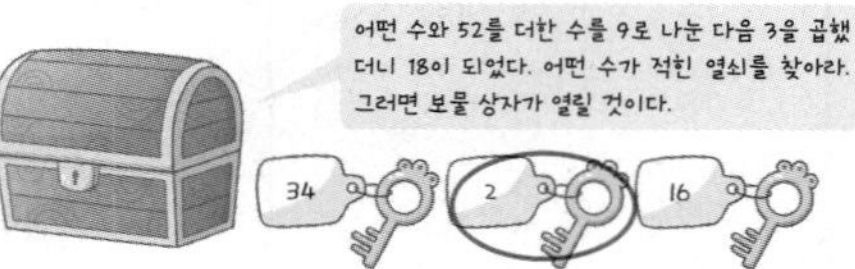

어떤 수와 52를 더한 수를 9로 나눈 다음 3을 곱했더니 18이 되었다. 어떤 수가 적힌 열쇠를 찾아라. 그러면 보물 상자가 열릴 것이다.
34
2
16

✤ 어떤 수를 □라 하여 식을 세우면 $(\square+52)\div9\times3=18$
$(\square+52)\div9=18\div3$, $(\square+52)\div9=6$,
$\square+52=6\times9$, $\square+52=54$
$\square=54-52$, $\square=2$

3단계
교과서 실력 다지기

정답과 풀이 p.6

식이 성립하도록 ( )로 묶기

3 다음 식이 성립하도록 계산 순서가 달라지는 곳을 찾아 ( )로 묶어 보았습니다. 각각의 식을 계산하여 계산 결과가 76이 되는 식을 찾아 써 보세요.

$46+14-9\times6=76$

↓

$(46+14)-9\times6$ 　 $46+(14-9)\times6$

답 $46+(14-9)\times6$

개념 피드백
- 식이 성립하도록 ( )로 묶기
  ① ( )로 두 수를 묶었을 때 계산 순서가 달라지는 곳을 찾아 ( )로 묶어 봅니다.
  ② ①에서 묶은 ( ) 안을 먼저 계산하여 계산 결과가 맞는지 확인합니다.

✤ $(46+14)-9\times6=60-9\times6=60-54=6$ (×)
$46+(14-9)\times6=46+5\times6=46+30=76$ (○)

3-1 다음 식이 성립하도록 ( )로 바르게 묶은 사람은 누구일까요?

$37+35\div8-3=44$

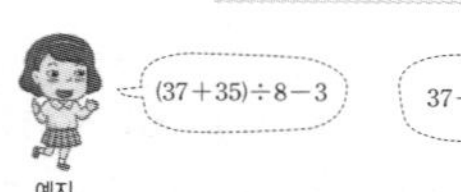

(민기)

✤ 예지: $(37+35)\div8-3=72\div8-3=9-3=6$
민기: $37+35\div(8-3)=37+35\div5=37+7=44$
따라서 바르게 묶은 사람은 민기입니다.

3-2 다음 식이 성립하도록 두 수를 ( )로 묶어 보세요.

$56-(7+8)\times6\div3=26$

✤ 두 수를 묶었을 때 계산 순서가 달라지는 곳을 찾아 ( )로 묶어서 계산해 봅니다.
$56-(7+8)\times6\div3=56-15\times6\div3=56-90\div3=56-30=26$

○ 안에 +, −, ×, ÷ 중 알맞은 기호 넣기

4 다음 식이 성립하도록 ○ 안에 +, −, ×, ÷ 중 알맞은 기호를 써넣으세요.

$20\div5+4$ (×) $2-3=9$

(1) +, −, ×, ÷를 각각 넣어서 계산해 봅니다.
❶ $20\div5+4+2-3=$ 7 　 ❷ $20\div5+4-2-3=$ 3
❸ $20\div5+4\times2-3=$ 9 　 ❹ $20\div5+4\div2-3=$ 3

(2) 답이 9가 나오는 경우는 ○ 안에 × 가 들어갔을 경우입니다.

개념 피드백 +, −, ×, ÷를 각각 넣어서 계산해 보고, 식이 성립하는 경우를 찾습니다.

✤ ○ 안에 +, −, ×, ÷를 하나씩 넣어서 계산해 봅니다.

4-1 식이 성립하도록 ○ 안에 +, −, ×, ÷ 중 알맞은 기호를 써넣으세요.

$16+(8$ (−) $2)\div2=19$

✤ ○ 안에 +, −, ×, ÷를 하나씩 넣어서 계산해 봅니다.

4-2 식이 성립하도록 ○ 안에 +, −, ×, ÷ 중 알맞은 기호가 적힌 카드를 가지고 있는 학생은 누구일까요?

$28-(19+6)$ ○ $5\times2=18$

(은주)

✤ $28-(19+6)\div5\times2$
$=28-25\div5\times2$
$=28-5\times2$
$=28-10=18$

1주 교과서

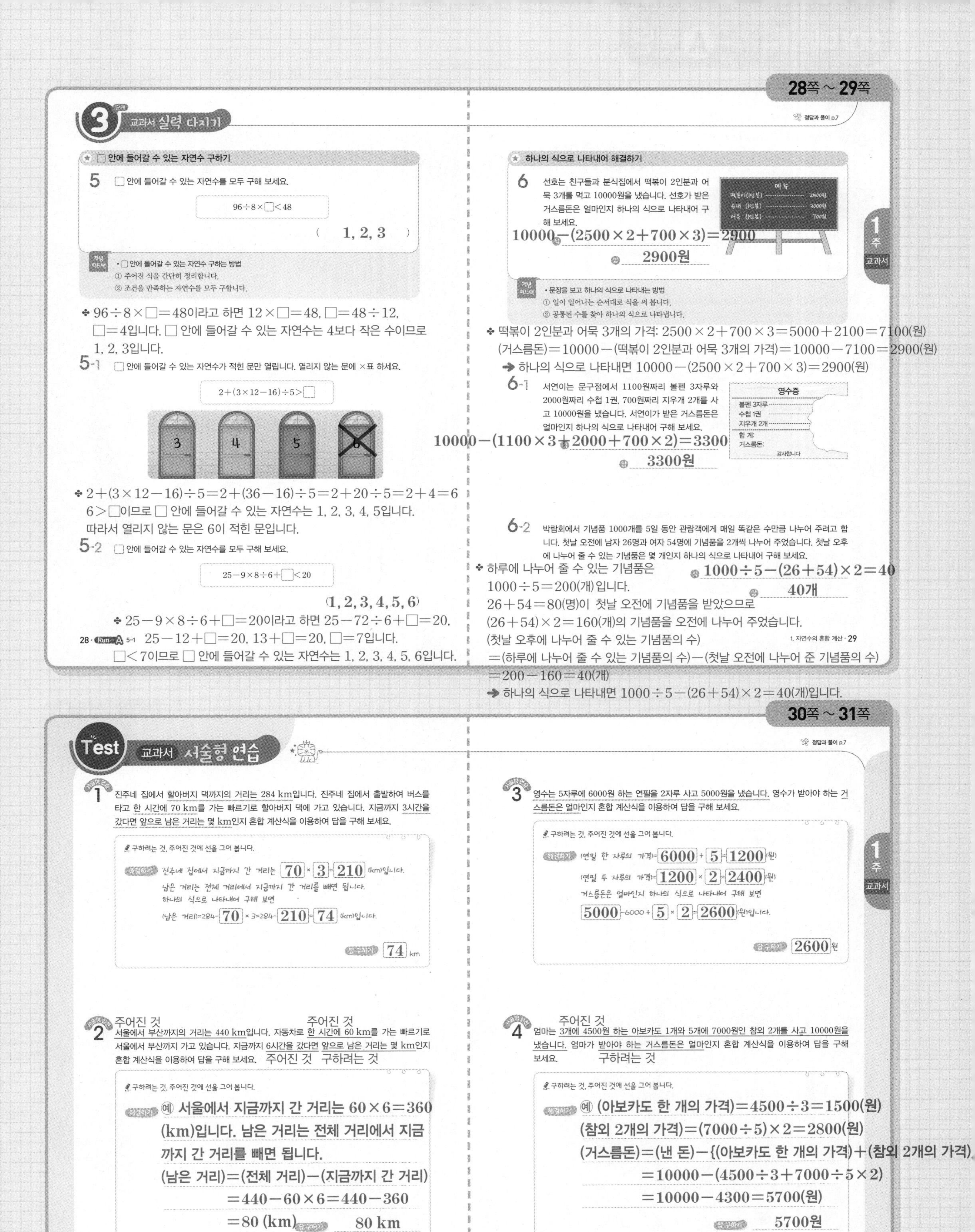

28쪽 ~ 29쪽

3단계 교과서 실력 다지기

정답과 풀이 p.7

★ □ 안에 들어갈 수 있는 자연수 구하기

5 □ 안에 들어갈 수 있는 자연수를 모두 구해 보세요.

$96\div8\times\square<48$

(1, 2, 3)

개념 피드백 • □ 안에 들어갈 수 있는 자연수 구하는 방법
① 주어진 식을 간단히 정리합니다.
② 조건을 만족하는 자연수를 모두 구합니다.

✣ $96\div8\times\square=48$이라고 하면 $12\times\square=48$, $\square=48\div12$, $\square=4$입니다. □ 안에 들어갈 수 있는 자연수는 4보다 작은 수이므로 1, 2, 3입니다.

5-1 □ 안에 들어갈 수 있는 자연수가 적힌 문만 열립니다. 열리지 않는 문에 ×표 하세요.

$2+(3\times12-16)\div5>\square$

3 4 5 6(×)

✣ $2+(3\times12-16)\div5=2+(36-16)\div5=2+20\div5=2+4=6$
$6>\square$이므로 □ 안에 들어갈 수 있는 자연수는 1, 2, 3, 4, 5입니다.
따라서 열리지 않는 문은 6이 적힌 문입니다.

5-2 □ 안에 들어갈 수 있는 자연수를 모두 구해 보세요.

$25-9\times8\div6+\square<20$

(1, 2, 3, 4, 5, 6)

✣ $25-9\times8\div6+\square=20$이라고 하면 $25-72\div6+\square=20$, $25-12+\square=20$, $13+\square=20$, $\square=7$입니다.
$\square<7$이므로 □ 안에 들어갈 수 있는 자연수는 1, 2, 3, 4, 5, 6입니다.

28 · Run-A 5-1

★ 하나의 식으로 나타내어 해결하기

6 선호는 친구들과 분식집에서 떡볶이 2인분과 어묵 3개를 먹고 10000원을 냈습니다. 선호가 받은 거스름돈은 얼마인지 하나의 식으로 나타내어 구해 보세요.

메뉴
떡볶이 (1인분) ······ 2500원
순대 (1인분) ······ 3000원
어묵 (1인분) ······ 700원

식 $10000-(2500\times2+700\times3)=2900$
답 2900원

개념 피드백 • 문장을 보고 하나의 식으로 나타내는 방법
① 일이 일어나는 순서대로 식을 써 봅니다.
② 공통된 수를 찾아 하나의 식으로 나타냅니다.

✣ 떡볶이 2인분과 어묵 3개의 가격: $2500\times2+700\times3=5000+2100=7100$(원)
(거스름돈)$=10000-$(떡볶이 2인분과 어묵 3개의 가격)$=10000-7100=2900$(원)
➔ 하나의 식으로 나타내면 $10000-(2500\times2+700\times3)=2900$(원)

6-1 서연이는 문구점에서 1100원짜리 볼펜 3자루와 2000원짜리 수첩 1권, 700원짜리 지우개 2개를 사고 10000원을 냈습니다. 서연이가 받은 거스름돈은 얼마인지 하나의 식으로 나타내어 구해 보세요.

영수증
볼펜 3자루
수첩 1권
지우개 2개
합 계:
거스름돈:
감사합니다

식 $10000-(1100\times3+2000+700\times2)=3300$
답 3300원

6-2 박람회에서 기념품 1000개를 5일 동안 관람객에게 매일 똑같은 수만큼 나누어 주려고 합니다. 첫날 오전에 남자 26명과 여자 54명에 기념품을 2개씩 나누어 주었습니다. 첫날 오후에 나누어 줄 수 있는 기념품은 몇 개인지 하나의 식으로 나타내어 구해 보세요.

식 $1000\div5-(26+54)\times2=40$
답 40개

✣ 하루에 나누어 줄 수 있는 기념품은 $1000\div5=200$(개)입니다.
$26+54=80$(명)이 첫날 오전에 기념품을 받았으므로 $(26+54)\times2=160$(개)의 기념품을 오전에 나누어 주었습니다.
(첫날 오후에 나누어 줄 수 있는 기념품의 수)
=(하루에 나누어 줄 수 있는 기념품의 수)−(첫날 오전에 나누어 준 기념품의 수)
$=200-160=40$(개)
➔ 하나의 식으로 나타내면 $1000\div5-(26+54)\times2=40$(개)입니다.

1. 자연수의 혼합 계산 · 29

1주 교과서

30쪽 ~ 31쪽

Test 교과서 서술형 연습

정답과 풀이 p.7

1 진주네 집에서 할아버지 댁까지의 거리는 284 km입니다. 진주네 집에서 출발하여 버스를 타고 한 시간에 70 km를 가는 빠르기로 할아버지 댁에 가고 있습니다. 지금까지 3시간을 갔다면 앞으로 남은 거리는 몇 km인지 혼합 계산식을 이용하여 답을 구해 보세요.

구하려는 것, 주어진 것에 선을 그어 봅니다.

해결하기 진주네 집에서 지금까지 간 거리는 70 × 3 = 210 (km)입니다.
남은 거리는 전체 거리에서 지금까지 간 거리를 빼면 됩니다.
하나의 식으로 나타내어 구해 보면
(남은 거리)=284−70 × 3=284−210=74 (km)입니다.

답 구하기 74 km

2 서울에서 부산까지의 거리는 440 km입니다. 자동차로 한 시간에 60 km를 가는 빠르기로 서울에서 부산까지 가고 있습니다. 지금까지 6시간을 갔다면 앞으로 남은 거리는 몇 km인지 혼합 계산식을 이용하여 답을 구해 보세요.
(주어진 것, 주어진 것, 주어진 것, 구하려는 것)

구하려는 것, 주어진 것에 선을 그어 봅니다.

해결하기 예 서울에서 지금까지 간 거리는 $60\times6=360$ (km)입니다. 남은 거리는 전체 거리에서 지금까지 간 거리를 빼면 됩니다.
(남은 거리)=(전체 거리)−(지금까지 간 거리)
$=440-60\times6=440-360$
$=80$ (km)

답 구하기 80 km

3 영수는 5자루에 6000원 하는 연필을 2자루 사고 5000원을 냈습니다. 영수가 받아야 하는 거스름돈은 얼마인지 혼합 계산식을 이용하여 답을 구해 보세요.

구하려는 것, 주어진 것에 선을 그어 봅니다.

해결하기 (연필 한 자루의 가격)=6000 ÷ 5 = 1200(원)
(연필 두 자루의 가격)=1200 × 2 = 2400(원)
거스름돈은 얼마인지 하나의 식으로 나타내어 구해 보면
5000−6000 ÷ 5 × 2 = 2600(원)입니다.

답 구하기 2600원

4 엄마는 3개에 4500원 하는 아보카도 1개와 5개에 7000원인 참외 2개를 사고 10000원을 냈습니다. 엄마가 받아야 하는 거스름돈은 얼마인지 혼합 계산식을 이용하여 답을 구해 보세요.
(주어진 것, 구하려는 것)

구하려는 것, 주어진 것에 선을 그어 봅니다.

해결하기 예 (아보카도 한 개의 가격)$=4500\div3=1500$(원)
(참외 2개의 가격)$=(7000\div5)\times2=2800$(원)
(거스름돈)=(낸 돈)−{(아보카도 한 개의 가격)+(참외 2개의 가격)}
$=10000-(4500\div3+7000\div5\times2)$
$=10000-4300=5700$(원)

답 구하기 5700원

30 · Run-A 5-1

1. 자연수의 혼합 계산 · 31

1주 교과서

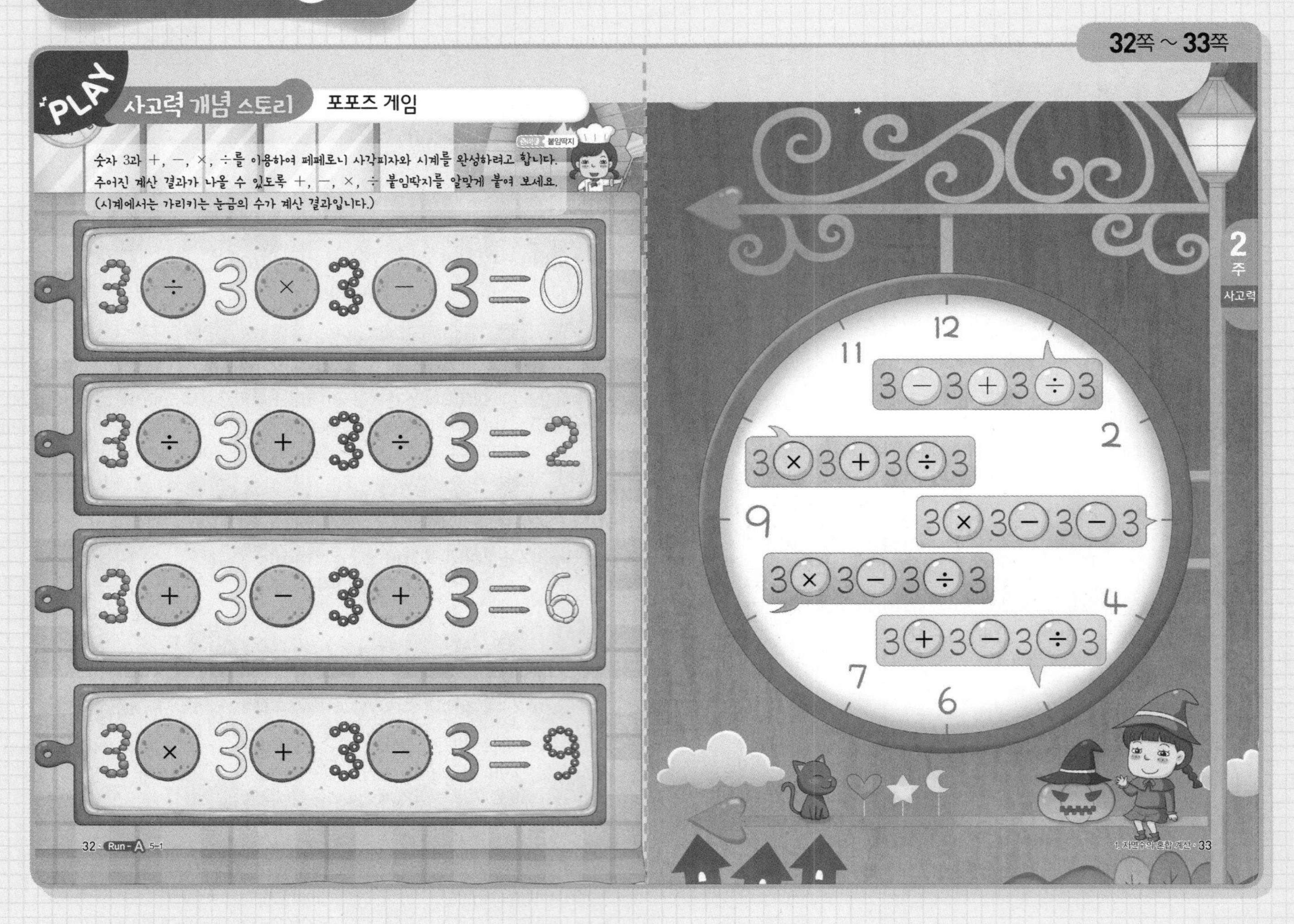

32쪽 ~ 33쪽
PLAY
사고력 개념 스토리
포포즈 게임
붙임딱지
숫자 3과 +, −, ×, ÷를 이용하여 페페로니 사각피자와 시계를 완성하려고 합니다.
주어진 계산 결과가 나올 수 있도록 +, −, ×, ÷ 붙임딱지를 알맞게 붙여 보세요.
(시계에서는 가리키는 눈금의 수가 계산 결과입니다.)
3 ÷ 3 × 3 − 3 = 0
3 ÷ 3 + 3 ÷ 3 = 2
3 + 3 − 3 + 3 = 6
3 × 3 + 3 − 3 = 9
12
11
3 − 3 + 3 ÷ 3
3 × 3 + 3 ÷ 3
2
9
3 × 3 − 3 − 3
3 × 3 − 3 ÷ 3
4
3 + 3 − 3 ÷ 3
7
6
2주
사고력
32 Run-A 5-1
1. 자연수의 혼합 계산 33

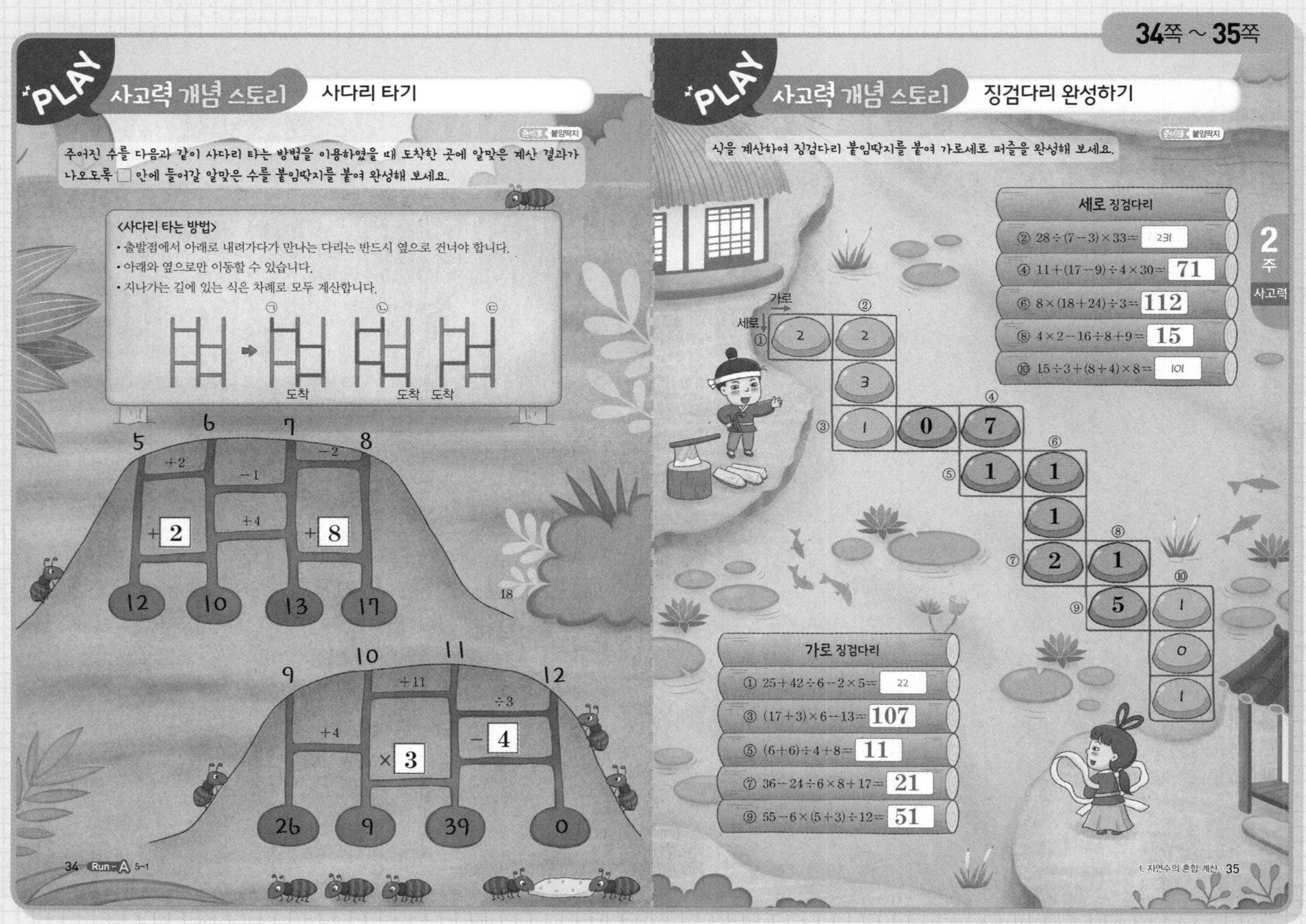

34쪽 ~ 35쪽
PLAY
사고력 개념 스토리
사다리 타기
붙임딱지
주어진 수를 다음과 같이 사다리 타는 방법을 이용하였을 때 도착한 곳에 알맞은 계산 결과가 나오도록 □ 안에 들어갈 알맞은 수를 붙임딱지를 붙여 완성해 보세요.
<사다리 타는 방법>
• 출발점에서 아래로 내려가다가 만나는 다리는 반드시 옆으로 건너야 합니다.
• 아래와 옆으로만 이동할 수 있습니다.
• 지나가는 길에 있는 식은 차례로 모두 계산합니다.
㉠ ㉡ ㉢
도착 도착 도착
5 6 7 8
+2 −1 −2 +4
+2 +8
12 10 13 17
18
9 10 11 12
+11 ÷3 +4
×3 −4
26 9 39 0
34 Run-A 5-1
PLAY
사고력 개념 스토리
징검다리 완성하기
붙임딱지
식을 계산하여 징검다리 붙임딱지를 붙여 가로세로 퍼즐을 완성해 보세요.
세로 징검다리
② 28÷(7−3)×33= 231
④ 11+(17−9)÷4×30= 71
⑥ 8×(18+24)÷3= 112
⑧ 4×2−16÷8+9= 15
⑩ 15÷3+(8+4)×8= 101
가로
세로
① 2 2
② 3
③ 1 0 7
④
⑤ 1 1
⑥ 1
⑦ 2 1
⑧
⑨ 5 1
⑩ 0 1
가로 징검다리
① 25+42÷6−2×5= 22
③ (17+3)×6−13= 107
⑤ (6+6)÷4+8= 11
⑦ 36−24÷6×8+17= 21
⑨ 55−6×(5+3)÷12= 51
2주
사고력
1. 자연수의 혼합 계산 35

1단계 교과 사고력 잡기

정답과 풀이 p.9

1 소란이의 용돈 기입장입니다. 7월 17일에 남은 돈은 얼마인지 하나의 식으로 나타내어 구해 보세요.

날짜	들어온 돈	나간 돈	남은 돈
7월 6일			2500원
7월 8일	5400원		
7월 12일		3200원	
7월 17일		2300원	

① 7월 8일에 남은 돈은 얼마일까요?

(7900원)

✤ $2500+5400=7900$(원)

② 7월 12일에 남은 돈은 얼마일까요?

(4700원)

✤ $7900-3200=4700$(원)

③ 7월 17일에 남은 돈은 얼마인지 하나의 식으로 나타내어 구해 보세요.

식 $2500+5400-3200-2300=2400$

답 2400원

✤ $2500+5400-3200-2300=7900-3200-2300$
$=4700-2300=2400$(원)

2 수지는 친구들을 초대하여 맛있는 떡볶이를 만들어 먹으려고 합니다. 떡볶이 재료와 가격표를 보고 물음에 답하세요.

〈떡볶이 재료〉
떡볶이 떡 300 g
어묵 200 g
소세지 100 g
달걀 4개
양배추 1/2통

가격표

떡볶이 떡 300 g	3000원
어묵 500 g	7500원
소세지 200g	5000원
달걀 1개	250원
양배추 1통	2000원

① 어묵 200 g은 얼마인지 하나의 식으로 나타내고 구해 보세요.

식 $7500\div5\times2=3000$

답 3000원

✤ $7500\div5\times2=1500\times2=3000$(원)

② 수지가 떡볶이 재료를 사는 데 필요한 돈은 얼마인지 하나의 식으로 나타내어 구해 보세요.

식 $3000+7500\div5\times2+5000\div2+250\times4+2000\div2=10500$

답 10500원

✤ $3000+7500\div5\times2+5000\div2+250\times4+2000\div2$
$=3000+3000+2500+1000+1000=10500$(원)

③ 용돈 20000원으로 떡볶이 재료를 사고 남은 돈은 얼마인지 하나의 식으로 나타내고 구해 보세요.

식 $20000-(3000+7500\div5\times2+5000\div2+250\times4+2000\div2)=9500$

답 9500원

✤ $20000-10500=9500$(원)

2주 사고력

1단계 교과 사고력 잡기

정답과 풀이 p.9

3 길이가 12 cm인 색 테이프 8장을 3 cm씩 겹쳐서 길게 이어 붙이려고 합니다. 이어 붙인 색 테이프의 전체 길이는 몇 cm인지 하나의 식으로 나타내어 답을 구해 보세요.

12 cm 12 cm 12 cm 12 cm ……
3 cm 3 cm 3 cm 3 cm

① 색 테이프 8장의 길이를 구해 보세요.

$12\times8=96$ (cm)

② 색 테이프 8장을 이어 붙이면 겹쳐진 부분은 몇 군데인지 구해 보세요.

$8-1=7$ (군데)

③ 겹쳐진 부분의 길이의 합을 구해 보세요.

$3\times(8-1)=21$ (cm)

④ 이어 붙인 색 테이프 전체 길이를 하나의 식으로 나타내고 구해 보세요.

식 $12\times8-3\times(8-1)=75$

답 75 cm

✤ $12\times8-3\times(8-1)=12\times8-3\times7$
$=96-21=75$ (cm)

4 다음은 용빈이의 가족의 나이를 설명한 것입니다. 용빈이의 가족의 나이를 각각 구해 보세요.

동생의 나이는 나의 나이의 2배보다 15살이 적습니다. 엄마의 나이는 동생의 나이의 4배보다 5살이 많고, 아빠의 나이는 나와 동생의 나이의 합의 2배보다 3살 많습니다.
용빈이는 12살!
용빈

① 동생의 나이를 하나의 식으로 나타내어 구해 보세요.

식 $12\times2-15=9$

답 9살

✤ $12\times2-15=24-15=9$(살)

② 엄마의 나이를 동생의 나이를 이용하여 하나의 식으로 나타내어 구해 보세요.

식 $9\times4+5=41$

답 41살

✤ $9\times4+5=36+5=41$(살)

③ 아빠의 나이를 동생의 나이를 이용하여 하나의 식으로 나타내어 구해 보세요.

식 $(12+9)\times2+3=45$

답 45살

✤ $(12+9)\times2+3=21\times2+3=42+3=45$(살)

2주 사고력

2단계 교과 사고력 확장

1 성냥개비로 삼각형을 만들고 있습니다. 삼각형을 12개 만들려면 성냥개비는 모두 몇 개 필요한지 하나의 식으로 나타내어 답을 구해 보세요.

① 성냥개비의 수를 구하는 방법을 설명해 보세요.

처음 삼각형을 만드는 데 필요한 성냥개비의 수는 [3]개이고 삼각형이 1개씩 늘어날 때마다 성냥개비는 [2]개씩 늘어납니다.

② 삼각형의 수와 성냥개비의 수를 비교하여 표를 완성해 보세요.

삼각형의 수(개)	성냥개비의 수(개)
1	3
2	3+2×[1]=[5]
3	3+2×[2]=[7]
4	3+[2]×[3]=[9]
5	3+[2]×[4]=[11]
⋮	⋮

③ □ 안에 알맞은 수를 써넣으세요.

♥개의 삼각형을 만드는 데 필요한 성냥개비의 수를 식으로 나타내면 [3]+[2]×(♥−1)입니다.

④ 삼각형을 12개 만들려면 성냥개비는 모두 몇 개 필요한지 하나의 식으로 나타내어 답을 구해 보세요.

식 $3+2\times(12-1)=25$

답 25개

정답과 풀이 p.10

2 수 카드 [1], [4], [6], [8]을 한 번씩만 사용하여 다음과 같은 식을 만들어 가장 큰 값을 넣으면 불이 켜지고, 가장 작은 값을 넣으면 불이 꺼지는 스위치를 만들려고 합니다. 계산 결과가 가장 클 때와 가장 작을 때의 값은 얼마인지 계산 결과를 각각 구해 보세요.

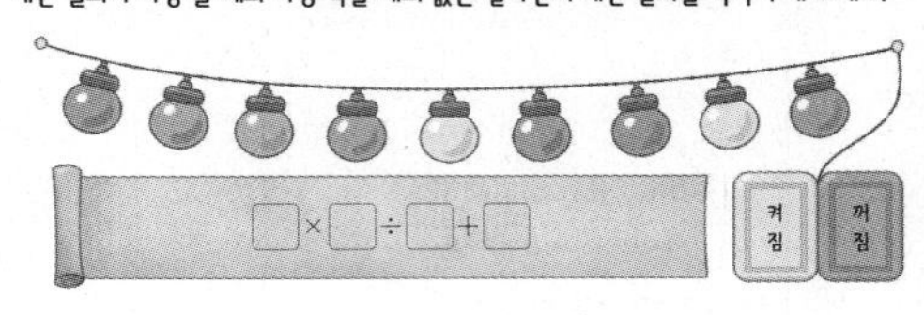

2주 사고력

① 다음 식에 계산 순서를 나타내어 보세요.

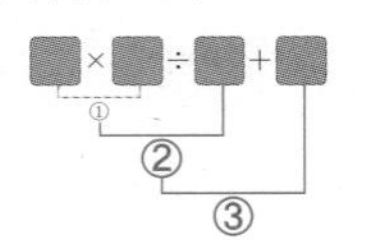

② 계산 결과가 가장 큰 수가 되도록 □ 안에 알맞은 수를 써넣으세요.

[8]×[6]÷[1]+[4]=[52]

❖ 계산 결과가 가장 큰 수를 만들려면 □×□의 계산 결과가 가장 크도록 곱셈식을 만들어야 합니다. 남은 수 카드 중 나누는 수에 가장 작은 수를 씁니다. ➔ $8\times6\div1+4=48+4=52$
[참고] $6\times8\div1+4=52$도 맞는 식입니다.

③ 계산 결과가 가장 작은 수가 되도록 □ 안에 알맞은 수를 써넣으세요.

[4]×[6]÷[8]+[1]=[4]

❖ $4\times6\div8+1=4$

2단계 교과 사고력 확장

3 A♥B=(A+4)×B÷2−33과 같이 약속합니다. 다음 연산 규칙 로봇에 A와 B를 입력하여 출력한 값을 다시 A로 입력하고 B는 계속 같은 값을 입력한다면 처음에 A=6, B=8을 입력하여 3회에 출력한 값을 구해 보세요.

① A=6, B=8을 넣었을 때 1회에 출력한 값은 얼마일까요?

❖ 1회 출력값: $A♥B=(6+4)\times8\div2-33=10\times8\div2-33$
$=80\div2-33=40-33=7$

② 위 ①에서 출력한 값을 A의 □ 안에 넣고 B의 값은 8을 그대로 넣었을 때 2회에 출력한 값은 얼마일까요?

❖ 2회 출력값: $A♥B=(7+4)\times8\div2-33=11\times8\div2-33$
$=88\div2-33=44-33=11$

③ 위 ②에서 출력한 값을 A의 □ 안에 넣고 B의 값은 8을 그대로 넣었을 때 3회에 출력한 값은 얼마일까요?

❖ 3회 출력값: $A♥B=(11+4)\times8\div2-33=15\times8\div2-33$
$=120\div2-33=60-33=27$

정답과 풀이 p.10

4 점심 메뉴를 고르는 사다리를 만들었습니다. 계산 결과가 가장 큰 것을 따라 사다리를 타면 점심으로 무엇을 먹게 될까요?

<사다리 타는 방법>
- 출발점에서 아래로 내려가다가 만나는 다리는 반드시 옆으로 건너야 합니다.
- 아래와 옆으로만 이동할 수 있습니다.

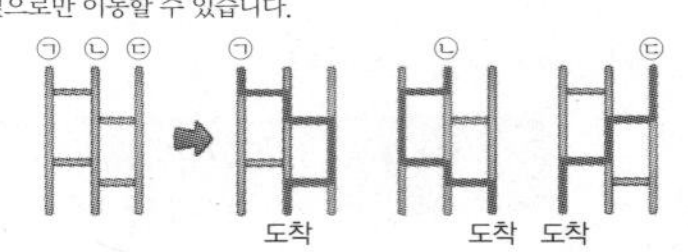

2주 사고력

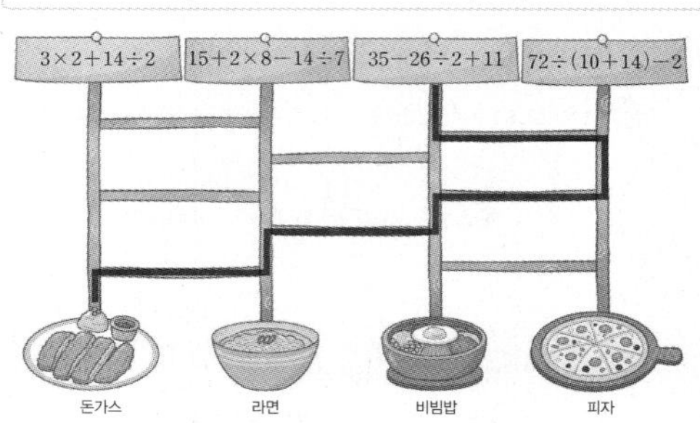

① 주어진 계산식을 각각 계산해 보세요.

(1) 3×2+14÷2=[13]　(2) 15+2×8−14÷7=[29]

(3) 35−26÷2+11=[33]　(4) 72÷(10+14)−2=[1]

② 점심으로 먹게 될 음식은 무엇일까요? 위의 사다리에 길을 직접 표시한 후 구해 보세요.

(돈가스)

❖ $1<13<29<33$이므로 세 번째 식에서 사다리를 타 보면 점심으로 먹게 될 음식은 돈가스입니다.

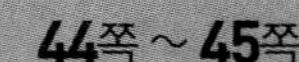

평가 영역 □개념 이해력 ☑개념 응용력 □창의력 □문제 해결력

1 가◎나를 다음과 같이 약속할 때 20◎4의 값은 얼마인지 구해 보세요.

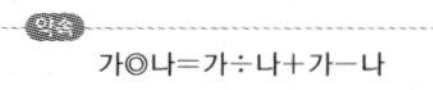

① 주어진 식을 약속된 식으로 나타내어 차례로 계산해 보세요.

$20◎4 = 20 ÷ 4 + 20 - 4$
$= 5 + 20 - 4$
$= 25 - 4$
$= 21$

② 20◎4의 값은 얼마일까요?

(21)

2 $\begin{pmatrix} ㉠ & ㉡ \\ ㉢ & ㉣ \end{pmatrix}$을 다음과 같이 약속할 때 주어진 식의 값을 구해 보세요.

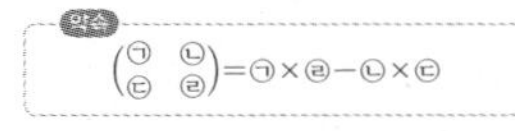

① $\begin{pmatrix} 2 & 3 \\ 4 & 7 \end{pmatrix} = 2$　② $\begin{pmatrix} 5 & 4 \\ 8 & 10 \end{pmatrix} = 18$

③ $\begin{pmatrix} 15 & 12 \\ 5 & 6 \end{pmatrix} = 30$　④ $\begin{pmatrix} 27 & 5 \\ 15 & 3 \end{pmatrix} = 6$

✤ ① $2×7-3×4=14-12=2$
② $5×10-4×8=50-32=18$
③ $15×6-12×5=90-60=30$
④ $27×3-5×15=81-75=6$

→ 수의 계열이나 어떤 일의 처리 과정을 그림으로 나타낸 것을 순서도라고 합니다.
평가 영역 □개념 이해력 □개념 응용력 □창의력 ☑문제 해결력

3 보기 의 순서도를 보고 오른쪽 순서도에서 처리되어 나오는 값을 구해 보세요.

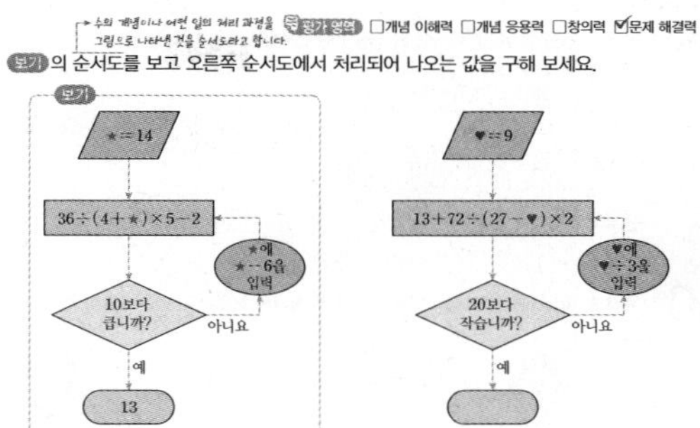

① ♥에 9를 넣었을 때 $13+72÷(27-♥)×2$를 계산해 보세요.

(21)

✤ $13+72÷(27-♥)×2$에 ♥ 대신 9를 넣으면
$13+72÷(27-9)×2=13+72÷18×2$
$=13+4×2$
$=13+8=21$

② 위 ①의 답을 보고 바르게 설명한 학생은 누구일까요?

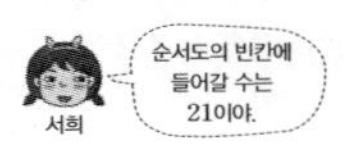

순서도의 빈칸에 들어갈 수는 21이야.
서희

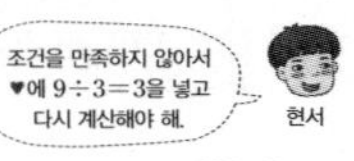

조건을 만족하지 않아서 ♥에 9÷3=3을 넣고 다시 계산해야 해.
현서

(현서)

✤ 계산 결과가 21이므로 20보다 크므로 조건을 만족하지 않습니다.
따라서 ♥에 9÷3=3을 넣고 다시 계산해야 합니다.

③ 순서도의 빈칸에 들어갈 알맞은 수를 구해 보세요.

(19)

✤ $13+72÷(27-♥)×2$에 ♥ 대신 3을 넣으면
$13+72÷(27-3)×2=13+72÷24×2$
$=13+3×2=13+6=19$

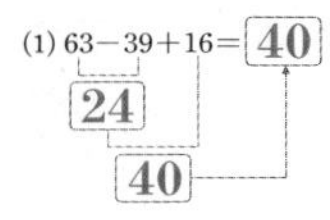

1. 자연수의 혼합 계산

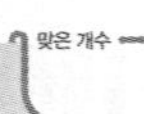

1 □ 안에 알맞은 수를 써넣으세요.

(1) $63-39+16=40$ (24, 40)　(2) $48÷8×7=42$ (6, 42)

2 계산 순서에 맞게 기호를 차례로 써 보세요.

105 − (35 ÷ 7 + 12) × 4
　㉠　㉡　㉢　㉣

(㉡, ㉢, ㉣, ㉠)

✤ ( )가 있으면 ( ) 안을 가장 먼저 계산하므로 계산 순서는 ㉡, ㉢, ㉣, ㉠입니다.

3 계산해 보세요.

(1) $72÷9×2+28=44$ (① 8 ② 16 ③ 44)　(2) $(13+32)÷3×7=105$ (① 45 ② 15 ③ 105)

4 두 식의 계산 결과가 같으면 ○표, 다르면 ×표 하세요.

$(16+4)×5$　　$16+4×5$　(×)

✤ $(16+4)×5=20×5=100$
$16+4×5=16+20=36$
→ 계산 결과가 다릅니다.

5 계산이 잘못된 곳을 찾아 바르게 고쳐 계산해 보세요.

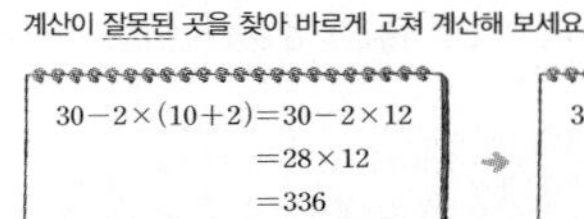

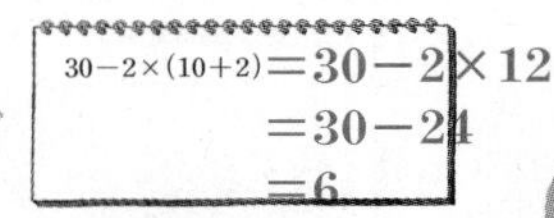

✤ 덧셈, 뺄셈, 곱셈과 ( )가 섞여 있는 식은 ( )를 가장 먼저 계산한 후 곱셈을 계산합니다.

6 계산 결과를 비교하여 ○ 안에 >, =, <를 써넣으세요.

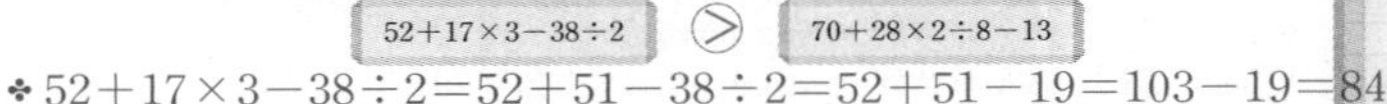

✤ $52+17×3-38÷2=52+51-38÷2=52+51-19=103-19=84$
$70+28×2÷8-13=70+56÷8-13=70+7-13=77-13=64$
→ $84>64$

7 두 식의 계산 결과의 합을 구해 보세요.

• $10+8×(11-8)÷4$
• $12+54÷9×3-7$

(39)

✤ $10+8×(11-8)÷4=10+8×3÷4=10+24÷4=10+6=16$
$12+54÷9×3-7=12+6×3-7=12+18-7=30-7=23$
→ $16+23=39$

8 하나의 식으로 나타내고 계산해 보세요.

45를 20과 11의 차로 나눈 몫을 4배 한 수

식 $45÷(20-11)×4=20$
답 20

✤ $45÷(20-11)×4=45÷9×4$
$=5×4$
$=20$

2주 사고력 / 2주 평가

Test 종합평가 1. 자연수의 혼합 계산

정답과 풀이 p.12

9 밑줄 친 수를 생각하여 빈칸에 두 식을 하나의 식으로 나타내어 보세요.

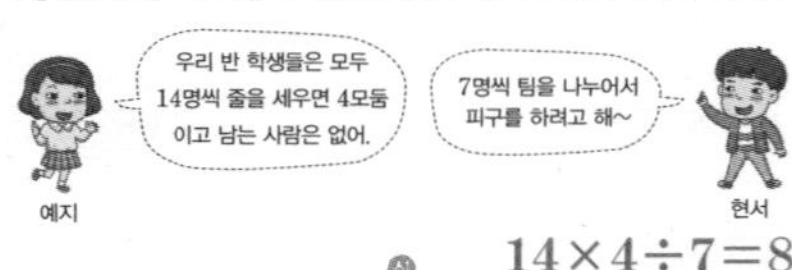

❖ 두 식에 14가 공통으로 들어 있으므로 아래 식의 14 대신 $50-12\times3$을 넣습니다.

10 우리 반 학생들을 몇 팀으로 나눌 수 있는지 하나의 식으로 나타내어 구해 보세요.

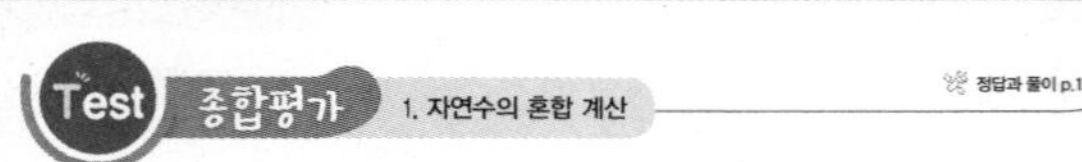

우리 반 학생들은 모두 14명씩 줄을 세우면 4모둠이고 남는 사람은 없어.
7명씩 팀을 나누어서 피구를 하려고 해~
예지
현서

식 $14\times4\div7=8$

답 8팀

❖ 우리 반의 학생 수는 14명씩 4모둠이므로 $14\times4=56$(명)입니다. 56명을 7명씩 묶어 팀을 나누면 $14\times4\div7=8$(팀)입니다.

11 연필 한 타는 6000원이고 지우개 3개의 가격은 1200원입니다. 가영이는 연필 5자루와 지우개 1개를 사고 5000원을 냈습니다. 가영이가 받은 거스름돈은 얼마인지 하나의 식으로 나타내어 구해 보세요.

(→ 연필 한 타는 12자루입니다.)

식 $5000-(6000\div12\times5+1200\div3)=2100$

답 2100원

❖ $5000-(6000\div12\times5+1200\div3)=5000-(2500+400)$
$=5000-2900$
$=2100$(원)

12 □ 안에 알맞은 수를 구해 보세요.

$(17+\square)\div8\times4=28$

(39)

❖ 계산 순서를 생각하며 거꾸로 계산합니다.
$(17+\square)\div8\times4=28$ ➔ $(17+\square)\div8=28\div4$, $(17+\square)\div8=7$
➔ $17+\square=7\times8$, $17+\square=56$
➔ $\square=56-17$, $\square=39$

13 길이가 14 cm인 색 테이프 5장을 4 cm씩 겹쳐지게 길게 이어 붙였습니다. 이어 붙인 색 테이프 전체의 길이는 몇 cm일까요?

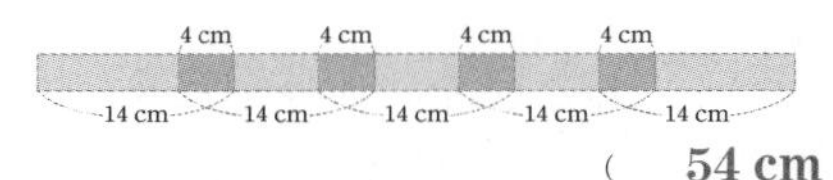

(54 cm)

❖ (이어 붙인 색 테이프 전체의 길이)
=(색 테이프 5장의 길이)−(겹쳐진 부분의 길이의 합)
$=14\times5-4\times4=70-16=54$ (cm)

14 1부터 9까지의 자연수 중에서 □ 안에 들어갈 수 있는 수를 모두 구해 보세요.

$4+\square<54-(2+9)\times4$

(1, 2, 3, 4, 5)

❖ 부등호의 오른쪽의 식을 계산해 보면
$54-(2+9)\times4=54-11\times4=54-44=10$
$4+\square<10$이므로 1부터 9까지의 수를 넣어보면 □ 안에 들어갈 수 있는 수는 1, 2, 3, 4, 5입니다.

15 다음 식이 성립하도록 두 수를 ( )로 묶어 보세요.

$70-(4+6)\times3\div6=65$

❖ ( )를 넣어도 계산 순서가 바뀌지 않는 경우는 따로 계산해 보지 않아도 됩니다.
$(70-4)+6\times3\div6=66+6\times3\div6=66+18\div6=66+3=69$
$70-(4+6)\times3\div6=70-10\times3\div6=70-30\div6=70-5=65$

16 식이 성립하도록 ○ 안에 +, −, ×, ÷ 중 알맞은 기호를 써넣으세요.

$57-(20\div5$ ⊕ $2)\times7=15$

❖ ○ 안에 +, −, ×, ÷를 넣었을 때 식이 성립하는 경우를 찾아봅니다.

2주 평가

Test 종합평가 1. 자연수의 혼합 계산

정답과 풀이 p.12

17 갈림길에 있는 주어진 계산식의 결과를 따라 간다고 할 때 아기 오리가 엄마 오리를 찾아 가는 길을 선으로 표시해 보세요.

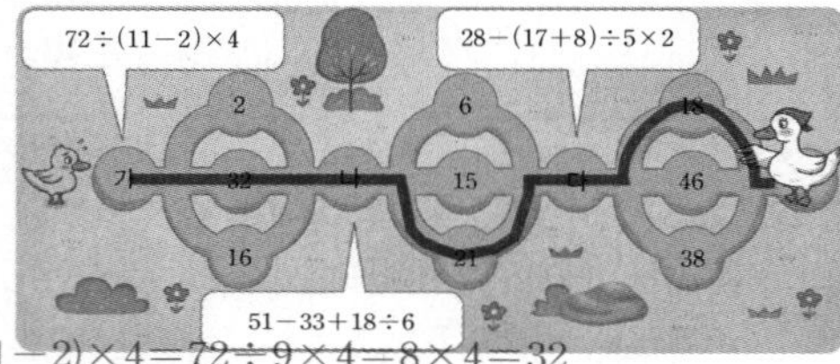

❖ $72\div(11-2)\times4=72\div9\times4=8\times4=32$
$51-33+18\div6=51-33+3=18+3=21$
$28-(17+8)\div5\times2=28-25\div5\times2=28-5\times2=28-10=18$

18 다음과 같이 약속할 때 36★6을 계산해 보세요.

가★나=(가+나×3)÷(가−나×3)

(3)

❖ $36★6=(36+6\times3)\div(36-6\times3)=(36+18)\div(36-18)=54\div18=3$

19 수 카드 2, 5, 6을 한 번씩만 사용하여 다음과 같은 식을 만들려고 합니다. 계산 결과가 가장 클 때와 가장 작을 때는 얼마인지 계산 결과를 각각 구해 보세요.

$90\div(\square\times\square)+\square$

(1) 가장 클 때: $90\div(2\times5)+6=15$

(2) 가장 작을 때: $90\div(6\times5)+2=5$

❖ (□×□)를 가장 먼저 계산하므로 (□×□)의 값이 가장 작을 때 계산 결과가 가장 크고, (□×□)의 값이 가장 클 때 계산 결과가 가장 작습니다.
• 가장 클 때: $90\div(2\times5)+6=90\div10+6=9+6=15$
• 가장 작을 때: $90\div(6\times5)+2=90\div30+2=3+2=5$

특강 창의·융합 사고력

정답과 풀이 p.12

1 계산기의 저장 기능을 이용하여 덧셈, 뺄셈, 곱셈, 나눗셈이 섞여 있는 식을 계산하려고 합니다. 보기와 같이 계산 과정을 빈칸에 써넣고 계산기를 이용하여 답을 구해 보세요. (융합 계산기)

계산기의 여러 가지 편리한 기능 중에는 계산 결과를 저장하는 기능이 있습니다. 계산기의 저장 기능을 이용하면 덧셈, 뺄셈, 곱셈, 나눗셈이 섞여 있는 식을 편리하게 계산할 수 있습니다.
• MC: 저장 결과를 지웁니다.
• M+: 저장 결과에 새로 입력된 값을 더합니다.
• M−: 저장 결과에서 새로 입력된 값을 뺍니다.
• MR: 저장 결과를 불러옵니다.

보기
다음 식을 계산기의 저장 기능을 이용하여 계산하는 과정입니다.

$22\times3-35\div5$

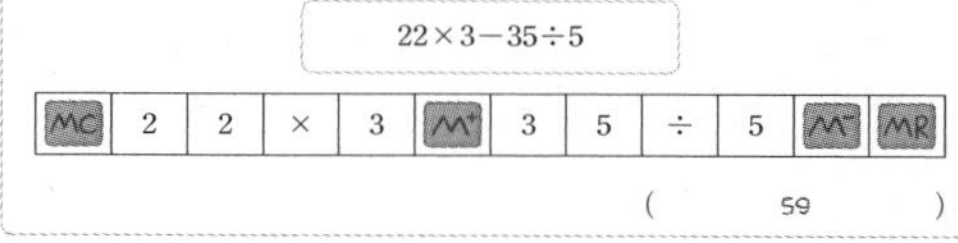

(59)

(1) $45\div5-3\times2$

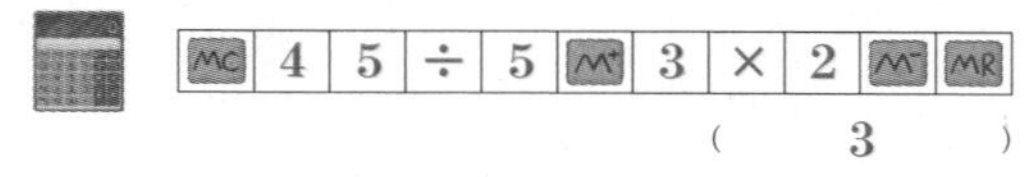

(3)

(2) $5\times9-12\div3$

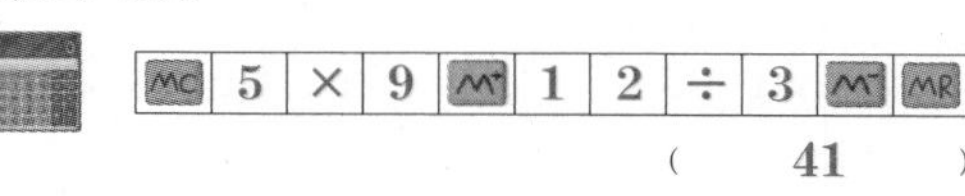

(41)

2주 평가

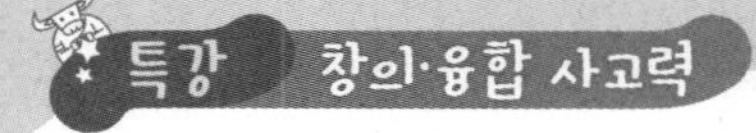

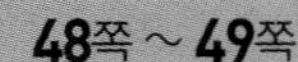

2 약수와 배수

약수와 배수에서
활용되는 다양한
수를 배워 봅니다.

완전수, 부족수, 과잉수, 제곱수

이탈리아 화가인 레오나르도 다 빈치(Leonardo da Vinci:1452~1519)의 작품인 '최후의 만찬'에서 예수의 제자들의 위치에는 수에 대한 재미있는 이야기가 있습니다.

자기 자신을 제외한 약수의 합이 자기 자신의 수가 되는 수를 **완전수**라고 하는데, 6의 약수 중 1, 2, 3을 더하면 6이 됩니다. 예수의 제자 중 가장 많은 사랑을 받은 것으로 보이는 사도 요한은 왼쪽으로부터 여섯 번째, 즉 완전수에 해당하는 자리에 앉아 있습니다.

한편 자신을 제외한 약수의 합이 그 자신의 수보다 작아지는 수를 **부족수**라고 합니다. 예를 들어 8의 약수 중 1, 2, 4를 더하면 8보다 작으므로 부족수입니다. 그림에서 예수를 제외하고 왼쪽에서 여덟 번째에는 예수의 부활을 믿지 않았던 의심 많은 제자 도마가 앉아 있습니다.

마지막으로 12의 약수 중 자신을 제외한 약수 1, 2, 3, 4, 6을 더하면 12보다 커지는데, 이런 수를 **과잉수**라고 합니다. 예수는 열두 제자를 두었으므로 제자가 충분히 많다는 의미로 해석할 수 있습니다.

완전수	자신을 제외한 약수의 합이 자신과 같은 수
부족수	자신을 제외한 약수의 합이 자신보다 작은 수
과잉수	자신을 제외한 약수의 합이 자신보다 큰 수

부족은 모자란다는 뜻이고, 과잉은 넘쳐난다는 뜻이야.

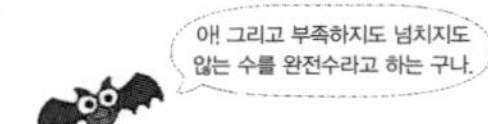
아! 그리고 부족하지도 넘치지도 않는 수를 완전수라고 하는 구나.

제곱수

1×1=1,　2×2=4,　3×3=9,　4×4=16……

1, 4, 9, 16……과 같이 같은 수를 곱해서 나온 수를 **제곱수**라고 합니다.
제곱수의 약수는 홀수 개입니다.

수	약수	약수의 수
4	1, 2, 4	3개
9	1, 3, 9	3개
16	1, 2, 4, 8, 16	5개

주어진 수가 완전수인지 부족수인지 과잉수인지 알아보세요.

수	자신을 제외한 약수	자신을 제외한 약수의 합과 크기 비교	완전수/부족수/과잉수
6	1, 2, 3	1+2+3=6=6	완전수
8	1, 2, 4	1+2+4=7<8	부족수
9	1, 3	1+3=4<9	부족수
12	1, 2, 3, 4, 6	1+2+3+4+6=16>12	과잉수
15	1, 3, 5	1+3+5=9<15	부족수
20	1, 2, 4, 5, 10	1+2+4+5+10=22>20	과잉수
24	1, 2, 3, 4, 6, 8, 12	1+2+3+4+6+8+12=36>24	과잉수
28	1, 2, 4, 7, 14	1+2+4+7+14=28=28	완전수

주어진 수들을 제곱수와 제곱수가 아닌 수로 나누어 보세요.

3, 4, 6, 9, 10, 16, 20, 25

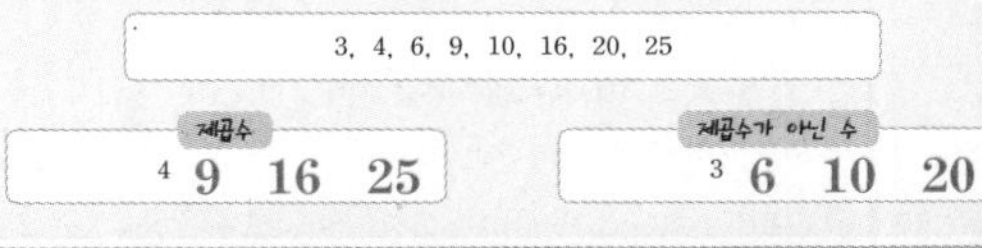
제곱수
4 9 16 25
제곱수가 아닌 수
3 6 10 20

1단계 교과서 개념 잡기

개념 1 약수 알아보기

- 약수 구하기

약수: 어떤 수를 나누어떨어지게 하는 수

예 6의 약수 구하기

6÷1=6　6÷2=3　6÷3=2
6÷4=1 … 2　6÷5=1 … 1　6÷6=1

6을 나누어떨어지게 하는 수를 알아보아요.

→ 6의 약수: 1, 2, 3, 6 (→ 6을 나누어떨어지게 하는 수)

약수의 성질
① 어떤 수의 약수에는 1과 자기 자신이 항상 포함됩니다.
② ★의 약수 중 가장 작은 수는 1이고, 가장 큰 수는 ★입니다.
예 6의 약수 중 가장 작은 수는 1이고, 가장 큰 수는 6입니다.
③ 수가 크다고 약수의 수가 더 많은 것은 아닙니다.
예 4의 약수: 1, 2, 4 → 3개, 5의 약수: 1, 5 → 2개

개념 2 배수 알아보기

- 배수 구하기

배수: 어떤 수를 1배, 2배, 3배…… 한 수

예 4의 배수 구하기

4를 1배 한 수 → 4×1=4
4를 2배 한 수 → 4×2=8
4를 3배 한 수 → 4×3=12
4를 4배 한 수 → 4×4=16
⋮

4의 배수는 4가 계속 4씩 커지는 것을 말해요.

→ 4의 배수: 4, 8, 12, 16……

배수의 성질
① 어떤 수의 배수는 셀 수 없이 많습니다.
② ★의 배수 중에서 가장 작은 수는 ★입니다.
예 4의 배수 중의 가장 작은 수는 4입니다.

개념 확인 문제

정답과 풀이 p.13

1-1 12의 약수를 구하려고 합니다. □ 안에 알맞은 수를 써넣으세요.

12÷1=12　12÷2=6　12÷3=4
12÷4=3　12÷6=2　12÷12=1

→ 12의 약수: 1, 2, 3, 4, 6, 12

✤ 12를 1, 2, 3, 4, 6, 12로 나누면 나누어떨어집니다. 따라서 12의 약수는 1, 2, 3, 4, 6, 12입니다.

3주 교과서

1-2 수 배열표에서 15의 약수를 모두 찾아 ○표 해 보세요.

(1)	2	(3)	4	(5)	6	7	8	9	10	11	12	13	14	(15)

✤ 15를 나누어떨어지게 하는 수를 모두 찾습니다.

2-1 7의 배수를 구하려고 합니다. □ 안에 알맞은 수를 써넣으세요.

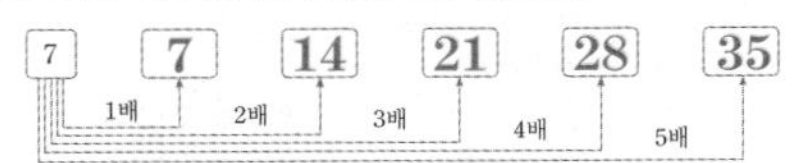
7
7
14
21
28
35
1배
2배
3배
4배
5배

✤ 7단 곱셈구구를 외워 씁니다.
7×1=7, 7×2=14, 7×3=21, 7×4=28, 7×5=35……

2-2 배수를 구해 보세요.

(1) 9의 배수 → 9, 18, 27, 36, 45, 54……

(2) 11의 배수 → 11, 22, 33, 44, 55, 66……

✤ (1) 9를 1배, 2배, 3배…… 한 수를 구합니다.
(2) 11을 1배, 2배, 3배…… 한 수를 구합니다.

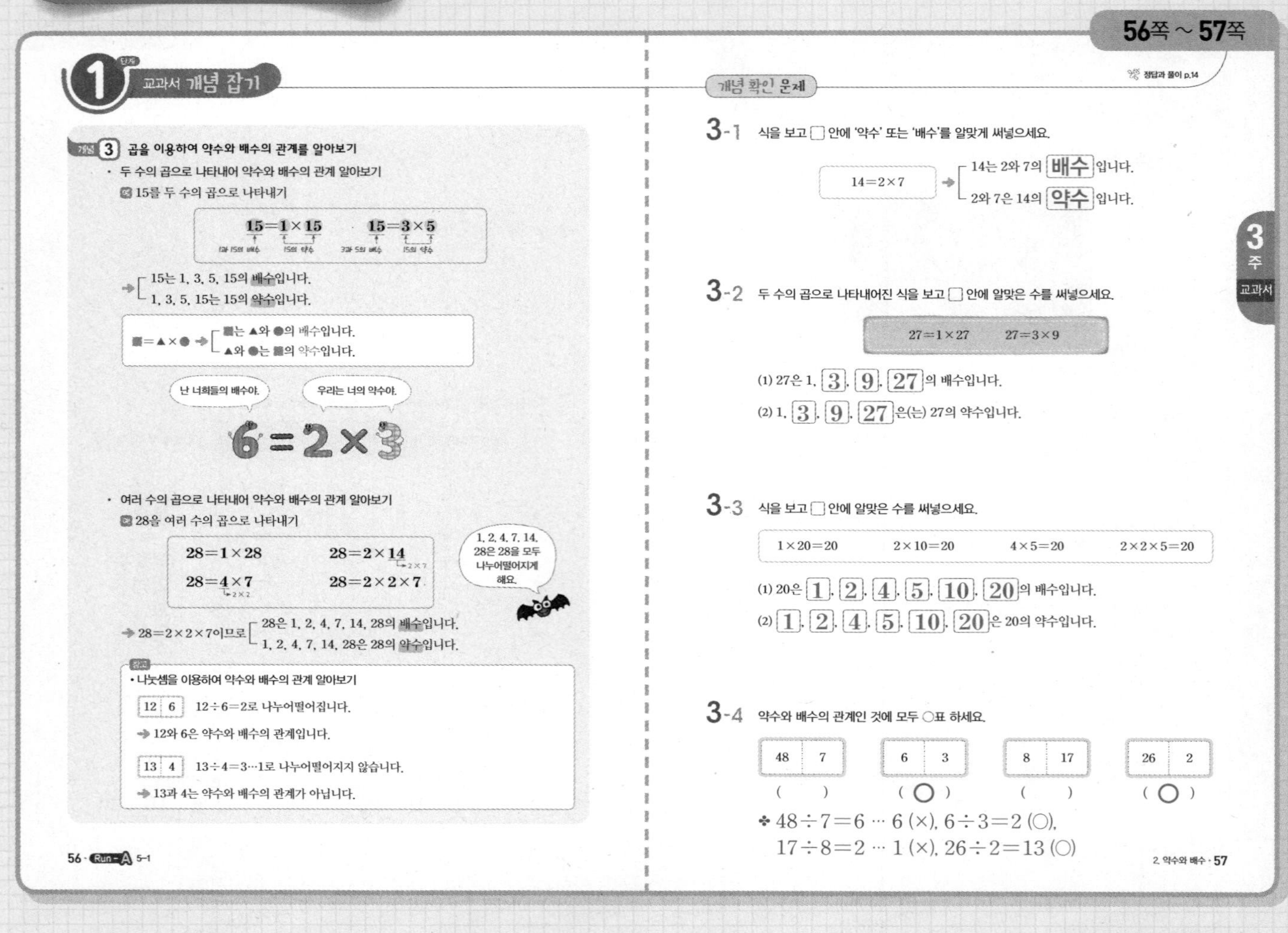

56쪽 ~ 57쪽

1단계 교과서 개념 잡기

개념 3 곱을 이용하여 약수와 배수의 관계를 알아보기

• 두 수의 곱으로 나타내어 약수와 배수의 관계 알아보기

예 15를 두 수의 곱으로 나타내기

15=1×15 15=3×5

→ 15는 1, 3, 5, 15의 배수입니다. / 1, 3, 5, 15는 15의 약수입니다.

■=▲×● → ■는 ▲와 ●의 배수입니다. / ▲와 ●는 ■의 약수입니다.

난 너희들의 배수야. 우리는 너의 약수야.

6=2×3

• 여러 수의 곱으로 나타내어 약수와 배수의 관계 알아보기

예 28을 여러 수의 곱으로 나타내기

28=1×28 28=2×14 28=4×7 28=2×2×7

1, 2, 4, 7, 14, 28은 28을 모두 나누어떨어지게 해요.

→ 28=2×2×7이므로 28은 1, 2, 4, 7, 14, 28의 배수입니다. / 1, 2, 4, 7, 14, 28은 28의 약수입니다.

참고 • 나눗셈을 이용하여 약수와 배수의 관계 알아보기

12 6 12÷6=2로 나누어떨어집니다. → 12와 6은 약수와 배수의 관계입니다.

13 4 13÷4=3…1로 나누어떨어지지 않습니다. → 13과 4는 약수와 배수의 관계가 아닙니다.

56 · Run-A 5-1

개념 확인 문제 (정답과 풀이 p.14)

3-1 식을 보고 □ 안에 '약수' 또는 '배수'를 알맞게 써넣으세요.

14=2×7 → 14는 2와 7의 [배수]입니다. / 2와 7은 14의 [약수]입니다.

3-2 두 수의 곱으로 나타내어진 식을 보고 □ 안에 알맞은 수를 써넣으세요.

27=1×27 27=3×9

(1) 27은 1, [3], [9], [27]의 배수입니다.

(2) 1, [3], [9], [27]은(는) 27의 약수입니다.

3-3 식을 보고 □ 안에 알맞은 수를 써넣으세요.

1×20=20 2×10=20 4×5=20 2×2×5=20

(1) 20은 [1], [2], [4], [5], [10], [20]의 배수입니다.

(2) [1], [2], [4], [5], [10], [20]은 20의 약수입니다.

3-4 약수와 배수의 관계인 것에 모두 ○표 하세요.

48 7 ( ) / 6 3 (○) / 8 17 ( ) / 26 2 (○)

✤ 48÷7=6 … 6 (×), 6÷3=2 (○), 17÷8=2 … 1 (×), 26÷2=13 (○)

2. 약수와 배수 · 57

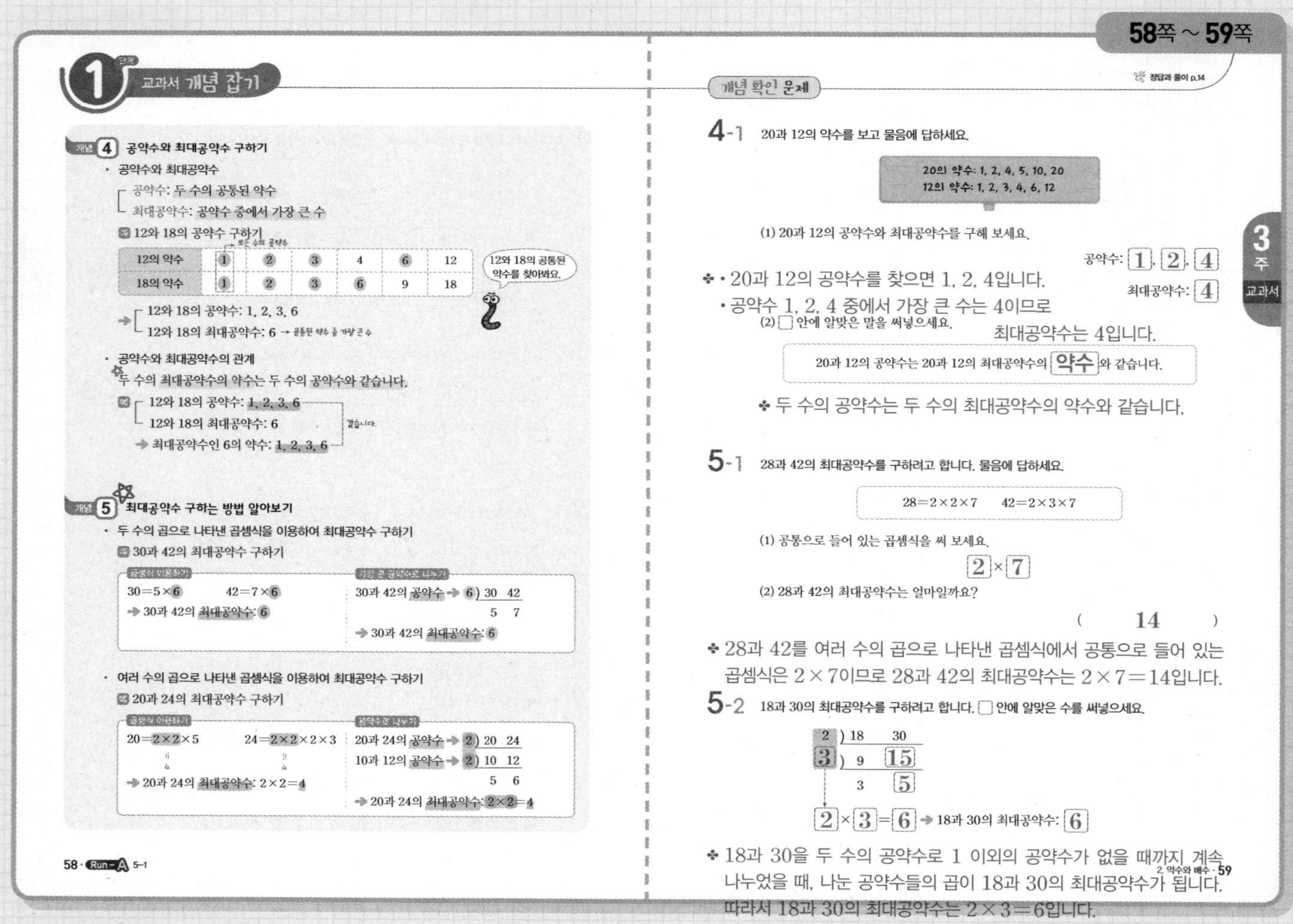

58쪽 ~ 59쪽

1단계 교과서 개념 잡기

개념 4 공약수와 최대공약수 구하기

• 공약수와 최대공약수

공약수: 두 수의 공통된 약수 / 최대공약수: 공약수 중에서 가장 큰 수

예 12와 18의 공약수 구하기

12의 약수	1	2	3	4	6	12
18의 약수	1	2	3	6	9	18

12와 18의 공통된 약수를 찾아봐요.

→ 12와 18의 공약수: 1, 2, 3, 6 / 12와 18의 최대공약수: 6

• 공약수와 최대공약수의 관계

두 수의 최대공약수의 약수는 두 수의 공약수와 같습니다.

예 12와 18의 공약수: 1, 2, 3, 6 / 12와 18의 최대공약수: 6 → 최대공약수인 6의 약수: 1, 2, 3, 6

개념 5 최대공약수 구하는 방법 알아보기

• 두 수의 곱으로 나타낸 곱셈식을 이용하여 최대공약수 구하기

예 30과 42의 최대공약수 구하기

곱셈식 이용하기: 30=5×6 42=7×6 → 30과 42의 최대공약수: 6

가장 큰 공약수로 나누기: 30과 42의 공약수 → 6) 30 42 / 5 7 → 30과 42의 최대공약수: 6

• 여러 수의 곱으로 나타낸 곱셈식을 이용하여 최대공약수 구하기

예 20과 24의 최대공약수 구하기

곱셈식 이용하기: 20=2×2×5 24=2×2×2×3 → 20과 24의 최대공약수: 2×2=4

공약수로 나누기: 20과 24의 공약수 → 2) 20 24 / 10과 12의 공약수 → 2) 10 12 / 5 6 → 20과 24의 최대공약수: 2×2=4

58 · Run-A 5-1

개념 확인 문제 (정답과 풀이 p.14)

4-1 20과 12의 약수를 보고 물음에 답하세요.

20의 약수: 1, 2, 4, 5, 10, 20 / 12의 약수: 1, 2, 3, 4, 6, 12

(1) 20과 12의 공약수와 최대공약수를 구해 보세요.

공약수: [1], [2], [4] 최대공약수: [4]

✤ • 20과 12의 공약수를 찾으면 1, 2, 4입니다.
• 공약수 1, 2, 4 중에서 가장 큰 수는 4이므로 최대공약수는 4입니다.

(2) □ 안에 알맞은 말을 써넣으세요.

20과 12의 공약수는 20과 12의 최대공약수의 [약수]와 같습니다.

✤ 두 수의 공약수는 두 수의 최대공약수의 약수와 같습니다.

5-1 28과 42의 최대공약수를 구하려고 합니다. 물음에 답하세요.

28=2×2×7 42=2×3×7

(1) 공통으로 들어 있는 곱셈식을 써 보세요.

[2]×[7]

(2) 28과 42의 최대공약수는 얼마일까요?

(14)

✤ 28과 42를 여러 수의 곱으로 나타낸 곱셈식에서 공통으로 들어 있는 곱셈식은 2×7이므로 28과 42의 최대공약수는 2×7=14입니다.

5-2 18과 30의 최대공약수를 구하려고 합니다. □ 안에 알맞은 수를 써넣으세요.

2) 18 30 / [3]) 9 [15] / 3 [5]

[2]×[3]=[6] → 18과 30의 최대공약수: [6]

✤ 18과 30을 두 수의 공약수로 1 이외의 공약수가 없을 때까지 계속 나누었을 때, 나눈 공약수들의 곱이 18과 30의 최대공약수가 됩니다. 따라서 18과 30의 최대공약수는 2×3=6입니다.

2. 약수와 배수 · 59

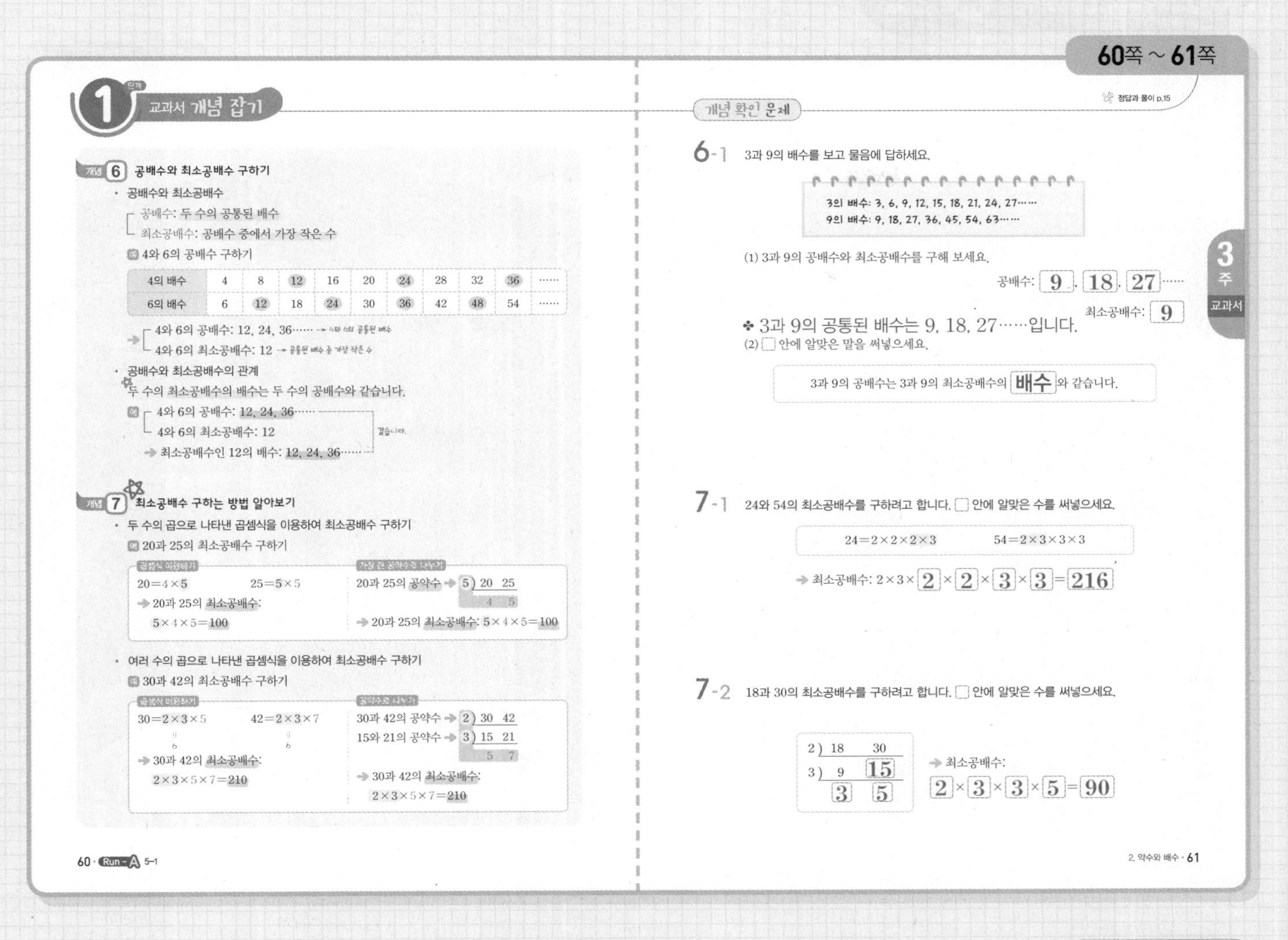

60쪽 ~ 61쪽

1단계 교과서 개념 잡기

개념 6 공배수와 최소공배수 구하기

- 공배수와 최소공배수
  - 공배수: 두 수의 공통된 배수
  - 최소공배수: 공배수 중에서 가장 작은 수

예 4와 6의 공배수 구하기

4의 배수	4	8	12	16	20	24	28	32	36	……
6의 배수	6	12	18	24	30	36	42	48	54	……

→ 4와 6의 공배수: 12, 24, 36…… → 4와 6의 공통된 배수
→ 4와 6의 최소공배수: 12 → 공통된 배수 중 가장 작은 수

- 공배수와 최소공배수의 관계
  두 수의 최소공배수의 배수는 두 수의 공배수와 같습니다.

예 4와 6의 공배수: 12, 24, 36……
4와 6의 최소공배수: 12
→ 최소공배수인 12의 배수: 12, 24, 36…… 같습니다.

개념 7 최소공배수 구하는 방법 알아보기

- 두 수의 곱으로 나타낸 곱셈식을 이용하여 최소공배수 구하기

예 20과 25의 최소공배수 구하기

곱셈식 이용하기
$20=4\times5$ $25=5\times5$
→ 20과 25의 최소공배수: $5\times4\times5=100$

가장 큰 공약수로 나누기
20과 25의 공약수 → 5) 20 25 / 4 5
→ 20과 25의 최소공배수: $5\times4\times5=100$

- 여러 수의 곱으로 나타낸 곱셈식을 이용하여 최소공배수 구하기

예 30과 42의 최소공배수 구하기

곱셈식 이용하기
$30=2\times3\times5$ $42=2\times3\times7$
→ 30과 42의 최소공배수: $2\times3\times5\times7=210$

공약수로 나누기
30과 42의 공약수 → 2) 30 42
15와 21의 공약수 → 3) 15 21 / 5 7
→ 30과 42의 최소공배수: $2\times3\times5\times7=210$

60 · Run-A 5-1

개념 확인 문제

정답과 풀이 p.15

6-1 3과 9의 배수를 보고 물음에 답하세요.

3의 배수: 3, 6, 9, 12, 15, 18, 21, 24, 27……
9의 배수: 9, 18, 27, 36, 45, 54, 63……

(1) 3과 9의 공배수와 최소공배수를 구해 보세요.

공배수: 9, 18, 27……
최소공배수: 9

❖ 3과 9의 공통된 배수는 9, 18, 27……입니다.

(2) □ 안에 알맞은 말을 써넣으세요.

3과 9의 공배수는 3과 9의 최소공배수의 배수와 같습니다.

7-1 24와 54의 최소공배수를 구하려고 합니다. □ 안에 알맞은 수를 써넣으세요.

$24=2\times2\times2\times3$ $54=2\times3\times3\times3$

→ 최소공배수: $2\times3\times2\times2\times3\times3=216$

7-2 18과 30의 최소공배수를 구하려고 합니다. □ 안에 알맞은 수를 써넣으세요.

2) 18 30
3) 9 15
3 5

→ 최소공배수: $2\times3\times3\times5=90$

3주 교과서

2. 약수와 배수 · 61

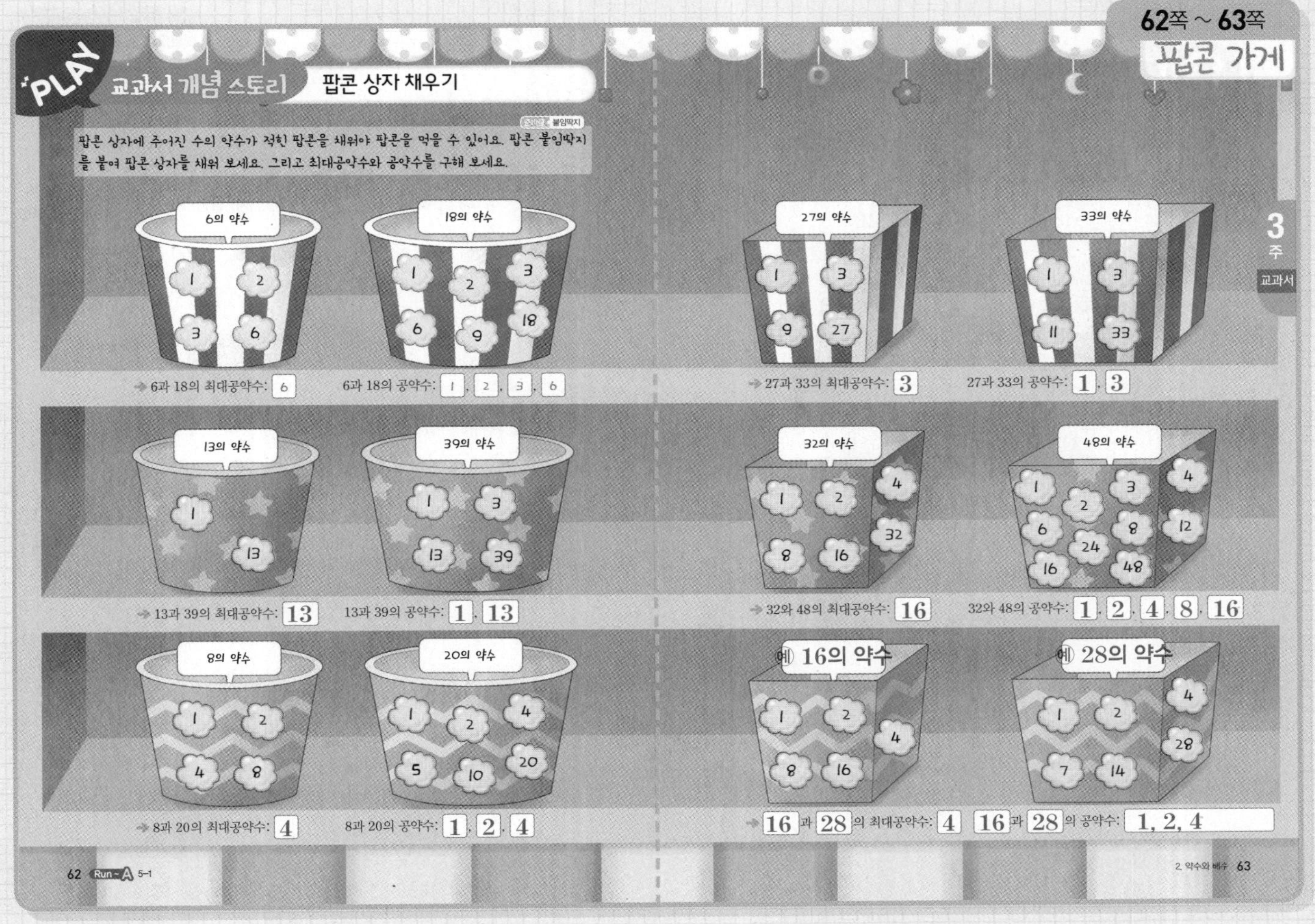

62쪽 ~ 63쪽

PLAY 교과서 개념 스토리 팝콘 상자 채우기

팝콘 가게

팝콘 상자에 주어진 수의 약수가 적힌 팝콘을 채워야 팝콘을 먹을 수 있어요. 팝콘 붙임딱지를 붙여 팝콘 상자를 채워 보세요. 그리고 최대공약수와 공약수를 구해 보세요.

→ 6과 18의 최대공약수: 6 6과 18의 공약수: 1, 2, 3, 6

→ 27과 33의 최대공약수: 3 27과 33의 공약수: 1, 3

→ 13과 39의 최대공약수: 13 13과 39의 공약수: 1, 13

→ 32와 48의 최대공약수: 16 32와 48의 공약수: 1, 2, 4, 8, 16

→ 8과 20의 최대공약수: 4 8과 20의 공약수: 1, 2, 4

→ 16과 28의 최대공약수: 4 16과 28의 공약수: 1, 2, 4

3주 교과서

62 Run-A 5-1

2. 약수와 배수 63

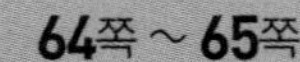

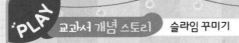

PLAY 교과서 개념 스토리 슬라임 꾸미기

붙임딱지

슬라임 통에 주어진 수의 배수가 적힌 토핑이 들어가도록 하여 슬라임을 꾸미려고 해요. 한 통에 작은 수부터 6개씩 토핑 붙임딱지를 붙여 보세요. 그리고 최소공배수와 공배수를 구해 보세요.

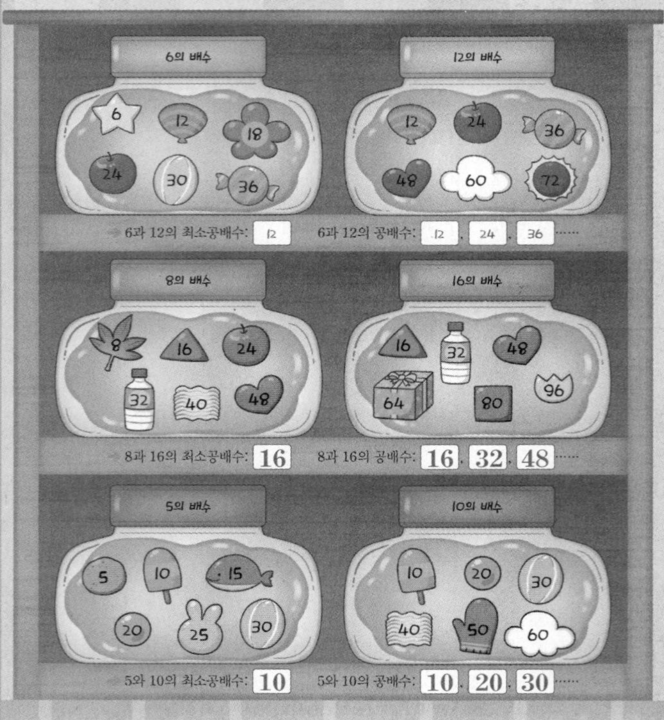

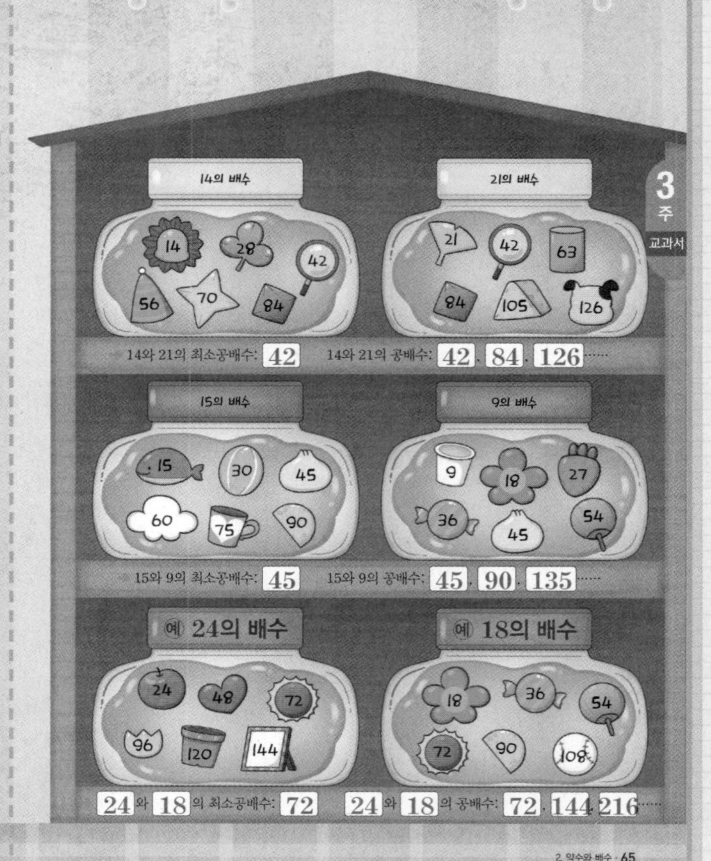

64 · Run-A 5-1

2. 약수와 배수 · 65

66쪽 ~ 67쪽

정답과 풀이 p.16

개념 1 약수 구하기

01 약수를 구해 보세요.

(1) 20의 약수 → (1, 2, 4, 5, 10, 20)

(2) 16의 약수 → (1, 2, 4, 8, 16)

✤ (1) 20을 나누어떨어지게 하는 수를 찾습니다. → 1, 2, 4, 5, 10, 20
(2) 16을 나누어떨어지게 하는 수를 찾습니다. → 1, 2, 4, 8, 16

02 모든 자연수의 약수가 되는 수에 ○표 하세요.

✤ 어떤 자연수를 1로 나누면 항상 나누어떨어지므로 1은 모든 자연수의 약수입니다.

03 다음은 어떤 수의 약수를 모두 쓴 것입니다. 어떤 수를 구해 보세요.

1 2 4 11 22 44

(44)

✤ 어떤 수의 약수 중에서 가장 큰 수는 어떤 수인 자기 자신입니다.

04 45의 약수는 모두 몇 개인지 구해 보세요.

(6개)

✤ 45를 나누어떨어지게 하는 수는 1, 3, 5, 9, 15, 45로 모두 6개입니다.

66 · Run-A 5-1

개념 2 배수 구하기

05 배수를 5개씩 써 보세요.

(1) 7의 배수 → (예 7, 14, 21, 28, 35)

(2) 20의 배수 → (예 20, 40, 60, 80, 100)

✤ (1) $7 \times 1 = 7$, $7 \times 2 = 14$, $7 \times 3 = 21$, $7 \times 4 = 28$, $7 \times 5 = 35$……
(2) $20 \times 1 = 20$, $20 \times 2 = 40$, $20 \times 3 = 60$, $20 \times 4 = 80$, $20 \times 5 = 100$……

06 8의 배수가 아닌 수에 ×표 하세요.

40 32 ~~36~~ 16 64

✤ $8 \times 5 = 40$, $8 \times 4 = 32$, $8 \times 2 = 16$, $8 \times 8 = 64$

07 13의 배수를 가장 작은 수부터 차례로 쓴 것입니다. 8번째로 작은 13의 배수를 구해 보세요.

13, 26, 39, 52……

(104)

✤ 13의 배수 중에서 8번째로 작은 수는 $13 \times 8 = 104$입니다.

08 70보다 작은 자연수 중에서 9의 배수는 모두 몇 개인지 구해 보세요.

(7개)

✤ $9 \times 1 = 9$, $9 \times 2 = 18$, $9 \times 3 = 27$, $9 \times 4 = 36$, $9 \times 5 = 45$, $9 \times 6 = 54$, $9 \times 7 = 63$, $9 \times 8 = 72$
→ 70보다 작은 자연수 중에서 9의 배수는 9, 18, 27, 36, 45, 54, 63으로 모두 7개입니다.

2. 약수와 배수 · 67

2단계 교과서 개념 다지기

정답과 풀이 p.17

개념 3 약수와 배수의 관계 알아보기

09 주어진 곱셈식에 대한 설명 중 옳지 않은 것을 찾아 기호를 써 보세요.

42=7×6

㉠ 42는 7의 배수입니다. ㉡ 6은 42의 약수입니다.
㉢ 7은 42의 약수입니다. ㉣ 42는 6의 배수입니다.
㉤ 6과 7은 42의 배수입니다.

(㉤)

10 15를 두 수의 곱으로 나타내고 약수와 배수의 관계를 써 보세요.

15=1×15 15=3×5

15는 1, 3, 5, 15 의 배수입니다.
1, 3, 5, 15 은(는) 15의 약수입니다.

11 안의 두 수가 서로 약수와 배수의 관계인 것을 찾아 색칠해 보세요.

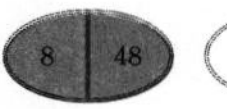
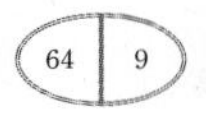

8 | 48, 64 | 9, 60 | 15, 74 | 6, 2 | 72

✤ 큰 수를 작은 수로 나누었을 때 나누어떨어지는 것을 찾습니다.
48÷8=6, 64÷9=7 ⋯ 1, 60÷15=4, 74÷6=12 ⋯ 2, 72÷2=36

12 왼쪽의 주어진 수에서 약수와 배수의 관계인 수를 모두 찾아 써 보세요.

4 7 8 16 14

(약수 4, 배수 8) (약수 4, 배수 16)
(7, 14) (8, 16)

✤ • 4×4=16이므로 4와 16은 약수와 배수의 관계입니다.
• 7×2=14이므로 7과 14는 약수와 배수의 관계입니다.
• 8×2=16이므로 8과 16은 약수와 배수의 관계입니다.

개념 4 공약수와 최대공약수

13 18과 24의 약수를 써넣고 공약수와 최대공약수를 구해 보세요.

18의 약수	1, 2, 3, 6, 9, 18
24의 약수	1, 2, 3, 4, 6, 8, 12, 24

공약수 (1, 2, 3, 6)
최대공약수 (6)

14 어떤 두 수의 최대공약수가 30일 때 두 수의 공약수를 모두 써 보세요.

1, 2, 3, 5, 6, 10, 15, 30

15 24와 36을 어떤 수로 나누면 두 수가 모두 나누어떨어집니다. 어떤 수 중에서 가장 큰 수를 구해 보세요.

(12)

✤ 24와 36의 최대공약수를 구하면 됩니다.

16 다음을 읽고 설명이 바른 것에 ○표, 틀린 것에 ×표 하세요.

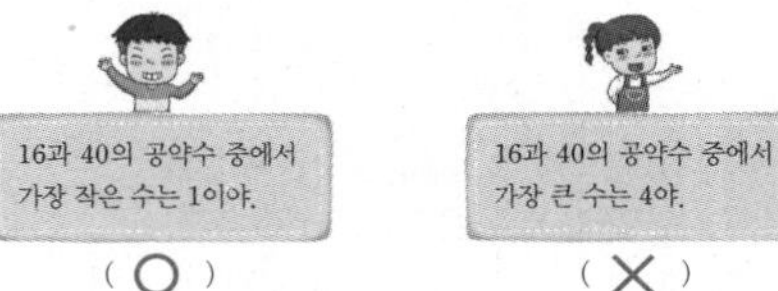

16과 40의 공약수 중에서 가장 작은 수는 1이야.
16과 40의 공약수 중에서 가장 큰 수는 4야.

(○) (×)

✤ 16과 40의 최대공약수는 8이므로 공약수 중에서 가장 큰 수는 8입니다.

2단계 교과서 개념 다지기

정답과 풀이 p.17

개념 5 공배수와 최소공배수

17 6과 9의 배수를 가장 작은 수부터 써넣고 공배수와 최소공배수를 구해 보세요. (단, 공배수는 가장 작은 수부터 3개를 써 보세요.)

6의 배수	6	12	18	24	30	36	42	48	54	……
9의 배수	9	18	27	36	45	54	63	72	81	……

공배수 (18, 36, 54)
최소공배수 (18)

18 어떤 두 수의 최소공배수가 15일 때, 이 두 수의 공배수를 가장 작은 수부터 3개 써 보세요.

(15, 30, 45)

✤ 두 수의 공배수는 두 수의 최소공배수의 배수와 같습니다.
따라서 두 수의 공배수는 15의 배수인 15, 30, 45……입니다.

19 1부터 50까지의 수 중에서 3의 배수이면서 4의 배수인 수를 모두 써 보세요.

(12, 24, 36, 48)

✤ 3과 4의 최소공배수는 12이므로 12의 배수를 찾습니다.
➔ 12, 24, 36, 48……

20 8과 12의 공배수를 모두 찾아 써 보세요.

4 10 16 24 32 30 48

(24, 48)

✤ 8과 12의 최소공배수는 24이므로 24의 배수를 찾습니다.

개념 6 최대공약수와 최소공배수 구하는 방법

21 곱셈식을 보고 ㉮와 ㉯의 최대공약수를 구해 보세요.

㉮=2×2×3 ㉯=2×3×3×5

(6)

✤ 두 곱셈식에서 공통인 부분이 ㉮와 ㉯의 최대공약수입니다.
따라서 ㉮와 ㉯의 최대공약수는 2×3=6입니다.

22 곱셈식을 보고 ㉮와 ㉯의 최소공배수를 구해 보세요.

㉮=3×3×5 ㉯=2×3×5

(90)

✤ ㉮와 ㉯의 최소공배수: 3×5×3×2=90 (3×5 ➔ 공통 부분)

23 두 수의 최대공약수와 최소공배수를 각각 구해 보세요.

(1) 2) 16 20
2) 8 10
4 5
최대공약수 ➔ (4)
최소공배수 ➔ (80)

(2) 2) 36 54
3) 18 27
3) 6 9
2 3
최대공약수 ➔ (18)
최소공배수 ➔ (108)

✤ (1) 최대공약수: 2×2=4
최소공배수: 2×2×4×5=80
(2) 최대공약수: 2×3×3=18
최소공배수: 2×3×3×2×3=108

24 두 수의 최소공배수가 가장 작은 것부터 차례로 기호를 써 보세요.

㉠ (20, 5) ㉡ (4, 6) ㉢ (9, 15)

(㉡, ㉠, ㉢)

✤ ㉠ 20 ㉡ 12 ㉢ 45

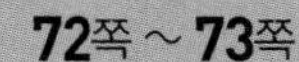

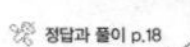

약수의 수 구하기

1 주어진 수의 약수는 모두 몇 개인지 구해 보세요.

24

답 8개

개념 피드백 • 약수
★의 약수는 ★을 어떤 수로 나누었을 때 나누어떨어지게 하는 수입니다.

✤ 24의 약수는 1, 2, 3, 4, 6, 8, 12, 24로 모두 8개입니다.

1-1 주어진 수의 약수는 모두 몇 개인지 구해 보세요.

81

(5개)

✤ 81의 약수는 1, 3, 9, 27, 81로 5개입니다.

1-2 다음 수 중 약수의 수가 많은 것부터 차례로 기호를 써 보세요.

㉠ 16 ㉡ 26 ㉢ 20 ㉣ 9

(㉢, ㉠, ㉡, ㉣)

✤ ㉠ 16의 약수: 1, 2, 4, 8, 16 ➔ 5개
㉡ 26의 약수: 1, 2, 13, 26 ➔ 4개
㉢ 20의 약수: 1, 2, 4, 5, 10, 20 ➔ 6개
㉣ 9의 약수: 1, 3, 9 ➔ 3개

■번째 배수 구하기

2 다음은 7의 배수를 가장 작은 수부터 차례로 쓴 것입니다. 16번째 수를 구해 보세요.

7, 14, 21, 28, 35……

답 112

개념 피드백 • ■번째 배수 구하기
★의 배수를 작은 수부터 차례로 썼을 때, ■번째 수는 ★×■입니다.

✤ 7의 배수 중 첫번째 수는 7, 두 번째 수는 7×2, 세 번째 수는 7×3……입니다.
7의 배수 중 16번째 수는 7×16이므로 112입니다.

2-1 11의 배수를 가장 작은 수부터 차례로 쓸 때 20번째 수는 얼마일까요?

(220)

✤ 11의 배수를 가장 작은 수부터 차례로 쓸 때 20번째 수는 11의 20배인 $11\times20=220$입니다.

2-2 어떤 수의 배수를 가장 작은 수부터 차례로 쓴 것입니다. 15번째 수는 얼마인지 구해 보세요.

(1) 9, 18, 27, 36……

(135)

(2) 13, 26, 39, 52……

(195)

✤ (1) 어떤 수의 배수 중 가장 작은 수가 9이므로 9의 배수입니다. 9의 배수 중 15번째 수는 9의 15배인 $9\times15=135$입니다.
(2) 어떤 수의 배수 중 가장 작은 수가 13이므로 13의 배수입니다. 13의 배수 중 15번째 수는 13의 15배인 $13\times15=195$입니다.

3주 교과서

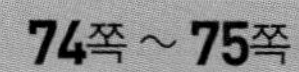

3 단계 교과서 실력 다지기

정답과 풀이 p.18

공약수와 최대공약수의 관계 이용하기

3 ●와 ▲의 최대공약수는 48입니다. ●와 ▲의 공약수인 것을 모두 찾아 써 보세요.

3 7 9 16 20 24

답 3, 16, 24

개념 피드백 • 두 수의 최대공약수를 알 때 두 수의 공약수 구하기
두 수의 공약수는 두 수의 최대공약수의 약수와 같습니다.

✤ ●와 ▲의 공약수는 ●와 ▲의 최대공약수인 48의 약수입니다.
➔ 48의 약수: 1, 2, 3, 4, 6, 8, 12, 16, 24, 48

3-1 어떤 두 수의 최대공약수가 12일 때, 이 두 수의 공약수인 것에 모두 ○표 하세요.

(2) (3) 5 (6) 8 9 10

✤ 두 수의 공약수는 두 수의 최대공약수의 약수입니다.
➔ 12의 약수: 1, 2, 3, 4, 6, 12

3-2 어떤 두 수의 최대공약수가 18입니다. 이 두 수의 공약수를 모두 구해 보세요.

(1, 2, 3, 6, 9, 18)

✤ 18의 약수를 모두 구합니다. ➔ 1, 2, 3, 6, 9, 18

3-3 공약수의 수가 더 많은 것의 기호를 써 보세요.

㉠ 최대공약수가 14인 어떤 두 수
㉡ 최대공약수가 25인 어떤 두 수

(㉠)

✤ 두 수의 공약수는 두 수의 최대공약수와 약수와 같습니다.
㉠ 14의 약수: 1, 2, 7, 14 ➔ 4개
㉡ 25의 약수: 1, 5, 25 ➔ 3개

공배수와 최소공배수의 관계 이용하기

4 ●와 ▲의 최소공배수는 21입니다. ●와 ▲의 공배수인 것을 모두 찾아 써 보세요.

7 21 35 42 56 63

답 21, 42, 63

개념 피드백 • 두 수의 최소공배수를 알 때 두 수의 공배수 구하기
두 수의 공배수는 두 수의 최소공배수의 배수와 같습니다.

✤ 21의 배수를 구합니다. ➔ 21, 42, 63……

4-1 어떤 두 수의 최소공배수가 8일 때, 이 두 수의 공배수인 것에 모두 ○표 하세요.

4 (8) 10 (16) 18 (24)

✤ 두 수의 공배수는 두 수의 최소공배수의 배수입니다.
➔ 8의 배수: 8, 16, 24……

4-2 어떤 두 수의 최소공배수는 14입니다. 이 두 수의 공배수를 가장 작은 수부터 3개 써 보세요.

(14, 28, 42)

✤ 14의 배수를 가장 작은 수부터 3개 구합니다.
➔ 14, 28, 42

4-3 6과 9의 공배수 중에서 7번째로 작은 수는 얼마인지 구해 보세요.

(126)

✤ 6과 9의 공배수는 6과 9의 최소공배수의 배수와 같습니다.
3) 6 9
  2 3 ➔ 최소공배수: $3\times2\times3=18$
따라서 18의 배수 중 7번째 수는 18의 7배이므로 $18\times7=126$입니다.

3주 교과서

3 단계
교과서 실력 다지기

정답과 풀이 p.19

★ 최대공약수의 활용

5 사탕 8개와 초콜릿 12개를 최대한 많은 사람에게 남김없이 똑같이 나누어 주려고 합니다. 사탕과 초콜릿을 최대 몇 명에게 나누어 줄 수 있는지 구해 보세요.

답 4명

개념 짚어보기

• 최대공약수 문제 해결하기

최대한 많은(큰), 될 수 있는 대로 많은(큰) 의 표현이 있으면

최대공약수를 이용하여 문제를 해결합니다.

최대한 많은 사람에게 남김없이 똑같이 나누어 주려면 최대공약수를 구해야 해요.

✤ 사탕 8개와 초콜릿 12개를 남김없이 똑같이 나누어 주려면 사람 수는 8과 12의 공약수여야 합니다. 최대한 많은 사람에게 나누어 주려고 하므로 8과 12의 최대공약수를 구해야 합니다.

5-1 선생님은 공책 45권, 연필 63자루를 될 수 있는 대로 많은 학생에게 남김없이 똑같이 나누어 주려고 합니다. 공책과 연필을 최대 몇 명까지 나누어 줄 수 있는지 구해 보세요.

(9명)

✤ 공책 45권, 연필 63자루를 남김없이 똑같이 나누어 주려면 학생 수는 45와 63의 공약수여야 합니다. 될 수 있는 대로 많은 학생에게 나누어 주려고 하므로 45와 63의 최대공약수를 구해야 합니다.

5-2 혜미는 초콜릿 36개와 사탕 42개를 최대한 많은 친구들에게 남김없이 똑같이 나누어 주려고 합니다. 초콜릿과 사탕을 최대 몇 명의 친구에게 나누어 줄 수 있는지 구해 보세요.

(6명)

✤ 초콜릿 36개와 사탕 42개를 최대한 많은 친구에게 똑같이 나누어 주려고 하므로 나누어 줄 수 있는 친구 수는 36과 42의 최대공약수입니다.

★ 최소공배수의 활용

6 수영장에 민지는 12일마다 한 번씩 가고 혜승이는 18일마다 한 번씩 갑니다. 민지와 혜승이가 오늘 수영장에서 만났다면 바로 다음 번에 두 사람이 만나는 날은 며칠 후인지 구해 보세요.

답 36일

개념 짚어보기

• 최소공배수 문제 해결하기

가장 적은(작은), 될 수 있는 대로 적은, 다음 번에 함께 의 표현이 있으면

최소공배수를 이용하여 문제를 해결합니다.

바로 다음 번에 만나는 날은 최소공배수를 이용해서 구해요.

✤ 민지와 혜승이가 다시 만날 때까지 걸리는 날 수는 12와 18의 공배수입니다. 바로 다음 번에 수영장에서 만날 때까지 걸리는 날 수는 12와 18의 최소공배수입니다.

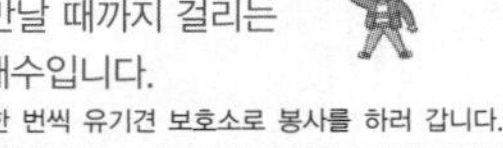

6-1 동건이는 16일마다, 우철이는 24일마다 한 번씩 유기견 보호소로 봉사를 하러 갑니다. 오늘 동건이와 우철이가 함께 봉사 활동을 갔다면 바로 다음 번에 두 사람이 함께 유기견 보호소로 봉사 활동을 가는 날은 며칠 후인지 구해 보세요.

(48일)

✤ 바로 다음 번에 두 사람이 함께 유기견 보호소로 봉사 활동을 갈 때까지 걸리는 날 수는 16과 24의 최소공배수입니다.

6-2 선주는 4일마다, 현우는 6일마다 도서관에 갑니다. 4월 1일 두 사람이 도서관에서 만났다면 바로 다음 번에 두 사람이 도서관에서 만나는 것은 며칠 후가 될까요?

(12일)

✤ 선주와 현우가 바로 다음 번에 도서관에서 만날 때까지 걸리는 날 수는 4와 6의 최소공배수입니다.

Test 교과서 서술형 연습

정답과 풀이 p.19

1 ㉠과 ㉡에 알맞은 수를 각각 구해 보세요.

```
2 ) ㉠  ㉡
3 ) 15  18
     5   6
```

해결하기 ㉠ ÷ 2 = 15 이므로 ㉠ = 15 × 2 = 30 입니다.
㉡ ÷ 2 = 18 이므로 ㉡ = 18 × 2 = 36 입니다.

답 구하기 ㉠: 30, ㉡: 36

2 ㉠과 ㉡의 최대공약수와 최소공배수를 구하는 과정입니다. ㉠, ㉡에 알맞은 수를 각각 구해 보세요.

```
3 ) ㉠  ㉡
5 ) 15  10
     3   2
```

해결하기 예 ㉠ ÷ 3 = 15 → ㉠ = 15 × 3 = 45
㉡ ÷ 3 = 10 → ㉡ = 10 × 3 = 30

답 구하기 ㉠ (45), ㉡ (30)

3 연우와 희영이는 운동장 둘레를 일정한 빠르기로 걷고 있습니다. 연우는 3분마다, 희영이는 5분마다 운동장을 한 바퀴 돕니다. 두 사람이 출발 후 40분 동안 출발점에서 몇 번 다시 만나는지 구해 보세요.

구하려는 것, 주어진 것에 선 긋기

해결하기 3과 5의 최소공배수는 15 이므로
연우와 희영이는 15 분에 한 번씩 만나게 됩니다.
연우와 희영이가 출발 후 다시 만날 때까지 걸리는 시간은
15 분, 30 분, 45 분……이므로 40분 동안 2 번 다시 만납니다.

답 구하기 2 번

4 지민이와 서희는 연못 둘레를 일정한 빠르기로 걷고 있습니다. 지민이는 3분마다, 서희는 4분마다 연못을 한 바퀴 돕니다. 두 사람이 출발점에서 같은 방향으로 동시에 출발할 때, 출발 후 40분 동안 출발점에서 몇 번 다시 만나는지 구해 보세요.

주어진 것
구하려는 것

구하려는 것, 주어진 것에 선 긋기

해결하기 예 3과 4의 최소공배수는 12이므로 지민이와 서희는 12분에 한 번씩 만나게 됩니다. 지민이와 서희가 출발 후 다시 만날 때까지 걸리는 시간은 12분, 24분, 36분, 48분……이므로 40분 동안 3번 다시 만납니다.

답 구하기 3번

80쪽 ~ 81쪽

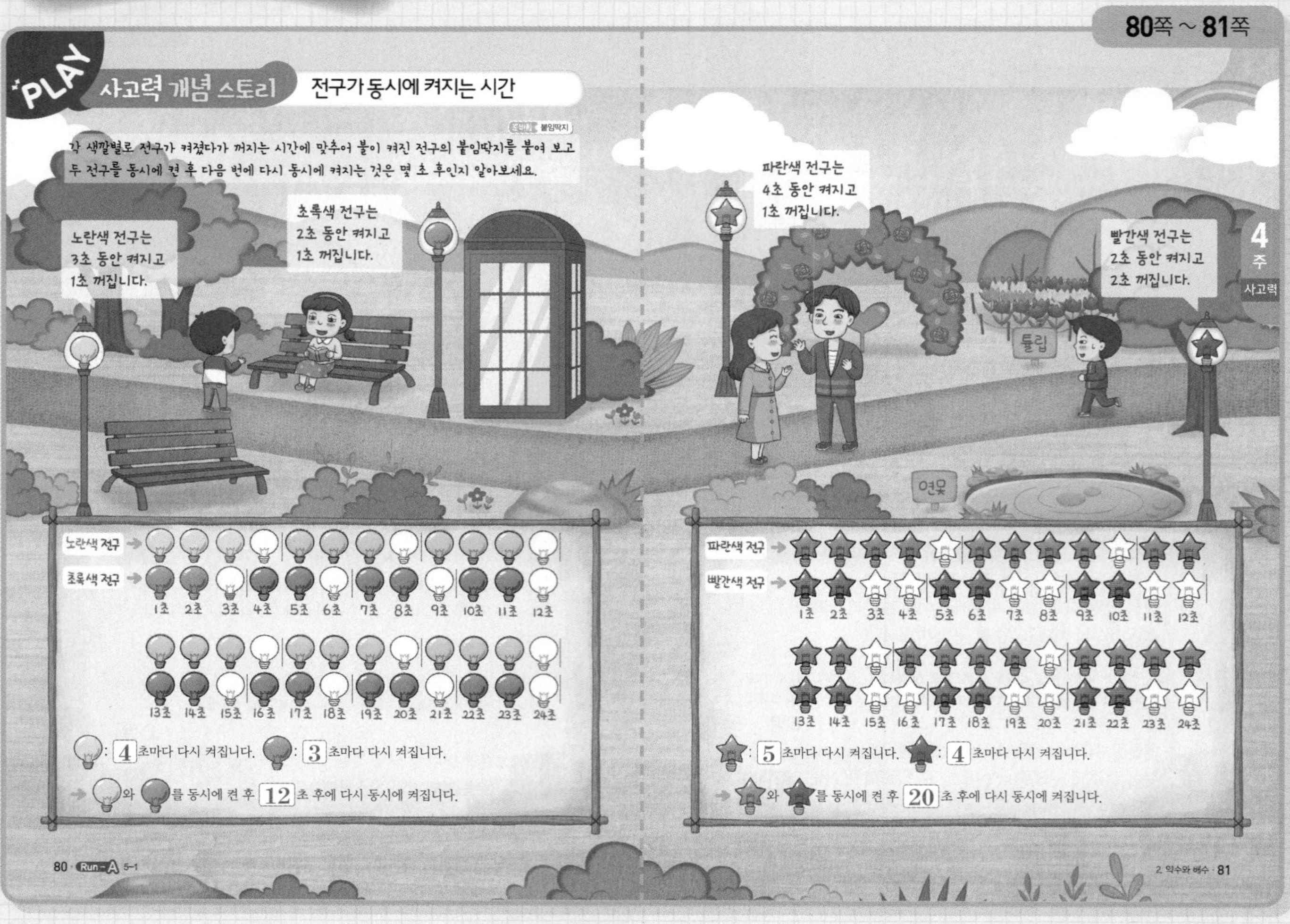

PLAY 사고력 개념 스토리
전구가 동시에 켜지는 시간
각 색깔별로 전구가 켜졌다가 꺼지는 시간에 맞추어 불이 켜진 전구의 붙임딱지를 붙여 보고 두 전구를 동시에 켠 후 다음 번에 다시 동시에 켜지는 것은 몇 초 후인지 알아보세요.
노란색 전구는 3초 동안 켜지고 1초 꺼집니다.
초록색 전구는 2초 동안 켜지고 1초 꺼집니다.
파란색 전구는 4초 동안 켜지고 1초 꺼집니다.
빨간색 전구는 2초 동안 켜지고 2초 꺼집니다.
튤립
연못
노란색 전구
초록색 전구
파란색 전구
빨간색 전구
: 4 초마다 다시 켜집니다. : 3 초마다 다시 켜집니다.
와 를 동시에 켠 후 12 초 후에 다시 동시에 켜집니다.
: 5 초마다 다시 켜집니다. : 4 초마다 다시 켜집니다.
와 를 동시에 켠 후 20 초 후에 다시 동시에 켜집니다.
80 · Run-A 5-1
2. 약수와 배수 · 81

82쪽 ~ 83쪽

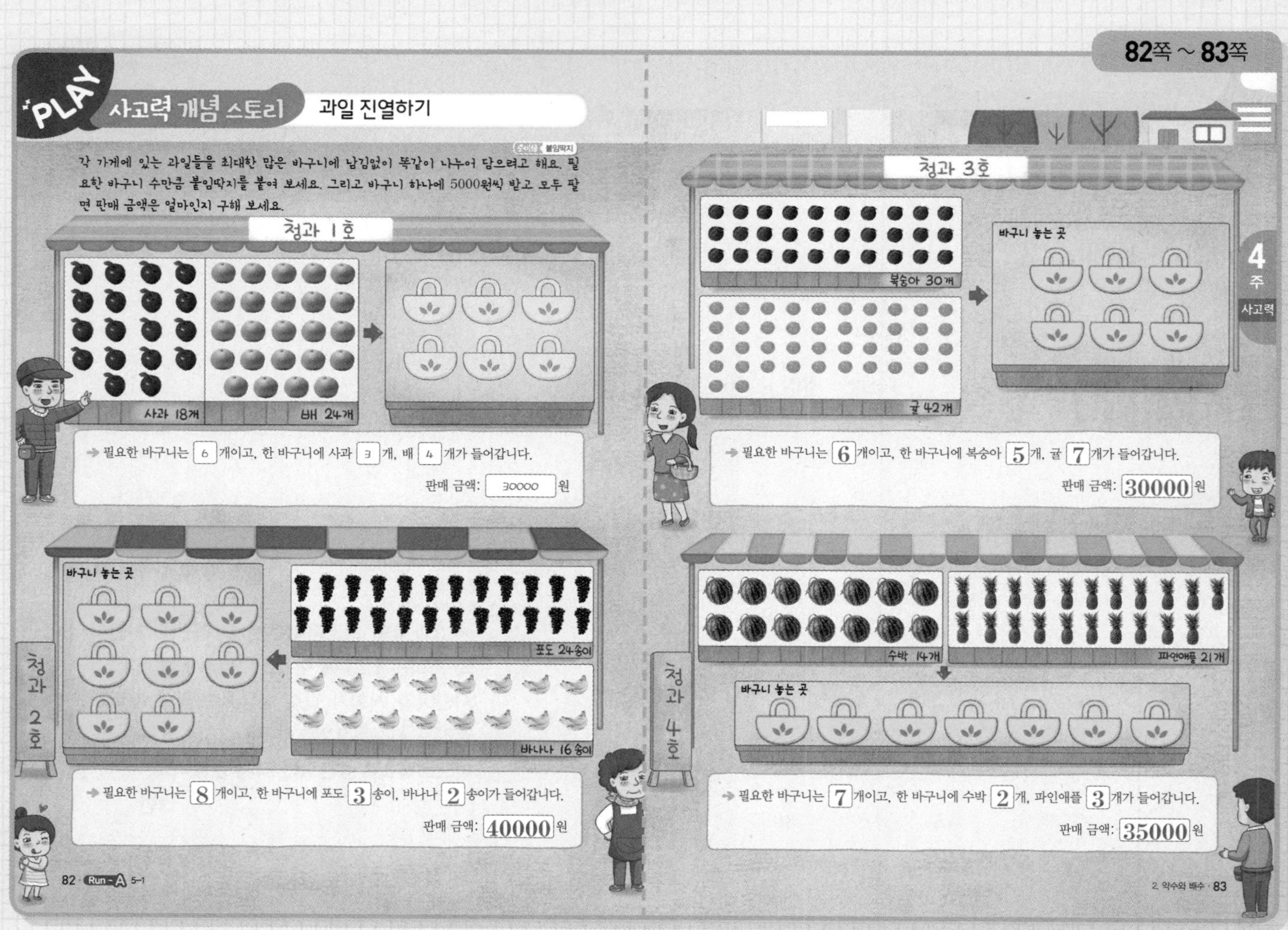

PLAY 사고력 개념 스토리
과일 진열하기
각 가게에 있는 과일들을 최대한 많은 바구니에 남김없이 똑같이 나누어 담으려고 해요. 필요한 바구니 수만큼 붙임딱지를 붙여 보세요. 그리고 바구니 하나에 5000원씩 받고 모두 팔면 판매 금액은 얼마인지 구해 보세요.
청과 1호
사과 18개
배 24개
필요한 바구니는 6 개이고, 한 바구니에 사과 3 개, 배 4 개가 들어갑니다.
판매 금액: 30000 원
청과 3호
복숭아 30개
귤 42개
바구니 놓는 곳
필요한 바구니는 6 개이고, 한 바구니에 복숭아 5 개, 귤 7 개가 들어갑니다.
판매 금액: 30000 원
청과 2호
포도 24송이
바나나 16송이
필요한 바구니는 8 개이고, 한 바구니에 포도 3 송이, 바나나 2 송이가 들어갑니다.
판매 금액: 40000 원
청과 4호
수박 14개
파인애플 21개
필요한 바구니는 7 개이고, 한 바구니에 수박 2 개, 파인애플 3 개가 들어갑니다.
판매 금액: 35000 원
4주 사고력
82 · Run-A 5-1
2. 약수와 배수 · 83

정답과 풀이 p.21

1단계 교과 사고력 잡기

1 가로가 105 m, 세로가 60 m인 직사각형 모양의 땅을 크기가 같은 정사각형 모양 여러 개로 나누어 각각 꽃밭을 만들려고 합니다. 각 꽃밭이 최대한 큰 정사각형 모양이 되도록 할 때, 꽃밭은 모두 몇 개를 만들 수 있는지 구해 보세요.

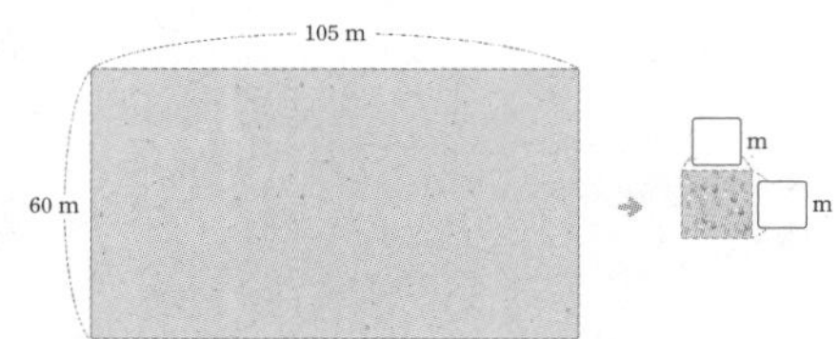

① 정사각형 모양의 꽃밭의 한 변의 길이는 몇 m가 되어야 할까요? (15 m)

✤ 3) 105 60
5) 35 20
7 4 ➔ 최대공약수: $3\times5=15$
따라서 정사각형 모양의 꽃밭의 한 변의 길이는 15 m가 되어야 합니다.

② 최대한 큰 정사각형 모양의 꽃밭이 되려면 가로로 몇 개까지 만들 수 있을까요? (7개)

✤ 가로로 $105\div15=7$(개)까지 만들 수 있습니다.

③ 최대한 큰 정사각형 모양의 꽃밭이 되려면 세로로 몇 개까지 만들 수 있을까요? (4개)

✤ 세로로 $60\div15=4$(개)까지 만들 수 있습니다.

④ 최대한 큰 정사각형 모양의 꽃밭은 모두 몇 개 만들 수 있을까요? (28개)

✤ 정사각형 모양의 꽃밭은 모두 $7\times4=28$(개) 만들 수 있습니다.

2 다음을 모두 만족하는 어떤 수를 구해 보세요.

- 어떤 수는 45의 약수입니다.
- 어떤 수의 약수를 모두 더하면 24입니다.

① 45의 약수를 모두 구해 보세요. (1, 3, 5, 9, 15, 45)

② 45의 약수 중 1을 제외한 수들의 약수를 각각 구해 보세요.

3 : 1, 3
5 : 1, 5
9 : 1, 3, 9
15 : 1, 3, 5, 15
45 : 1, 3, 5, 9, 15, 45

③ 45의 약수 중 약수들의 합이 24인 수를 구해 보세요. (15)

✤ 15의 약수: 1, 3, 5, 15 ➔ $1+3+5+15=24$
따라서 두 가지 조건을 모두 만족하는 수는 15입니다.

정답과 풀이 p.21

1단계 교과 사고력 잡기

3 버스터미널에 있는 버스 출발 시간표입니다. 부산행 버스와 대전행 버스가 오전 7시에 처음으로 동시에 출발한다면 두 버스가 다섯 번째로 동시에 출발하는 시각은 언제인지 구해 보세요.

버스 출발 시간표

출발 순서	부산행 버스	대전행 버스
첫 번째	오전 7시	오전 7시
두 번째	오전 7시 12분	오전 7시 15분
세 번째	오전 7시 24분	오전 7시 30분
네 번째	오전 7시 36분	오전 7시 45분
⋮	⋮	⋮

① 부산행과 대전행 버스는 각각 몇 분마다 출발할까요?

부산행 버스 (12분)
대전행 버스 (15분)

② 부산행과 대전행 버스는 몇 분마다 동시에 출발할까요? (60분)

✤ 3) 12 15
4 5 ➔ 최소공배수: $3\times4\times5=60$
두 버스는 60분마다 동시에 출발합니다.

③ 두 버스가 다섯 번째로 동시에 출발하는 시각을 구해 보세요. (오전 11시)

✤ 두 버스가 다섯 번째로 동시에 출발하는 시각은 오전 7시에서 $60\times4=240$(분) ➔ 4시간 후인 오전 11시입니다.

4 영진이와 현수가 아래와 같은 규칙에 따라 각각 바둑돌을 40개씩 놓을 때, 같은 자리에 흰 바둑돌이 놓이는 경우는 모두 몇 번인지 구해 보세요.

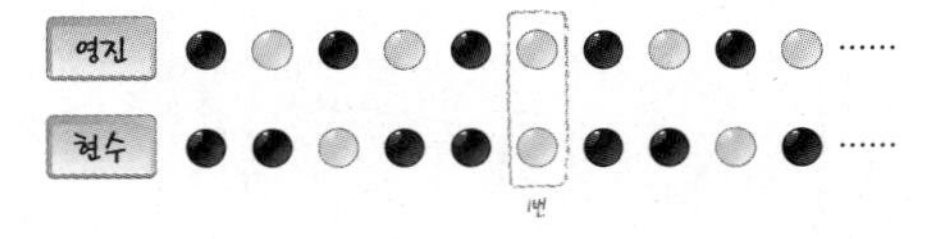

① 영진이와 현수는 어떤 규칙으로 바둑돌을 놓았는지 □ 안에 알맞은 수를 써넣으세요.

영진 2의 배수 자리마다 흰 바둑돌을 놓았습니다.
현수 3의 배수 자리마다 흰 바둑돌을 놓았습니다.

② 흰 바둑돌이 같이 놓이는 자리는 어느 자리일까요? (6의 배수 자리)

③ 두 학생이 바둑돌을 40개씩 놓을 때, 같은 자리에 흰 바둑돌이 놓이는 경우는 모두 몇 번일까요? (6번)

✤ 40까지의 수 중 6의 배수는 6, 12, 18, 24, 30, 36으로 모두 6번입니다.

2단계 교과 사고력 확장

1 다음 그림에서 겹쳐진 부분에 들어갈 수가 가장 많은 것은 어느 것인지 구해 보세요.

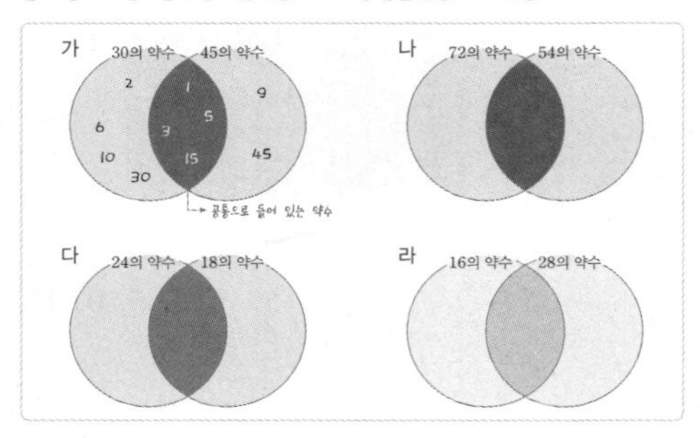

❶ 가, 나, 다, 라의 겹쳐진 부분에 들어갈 수를 구해 보세요.

가 (1, 3, 5, 15)
나 (**1, 2, 3, 6, 9, 18**)
다 (**1, 2, 3, 6**)
라 (**1, 2, 4**)

✤ 겹쳐진 부분에 들어갈 수는 두 수의 공약수입니다.
가: 30과 45의 최대공약수는 15입니다. ➔ 15의 약수: 1, 3, 5, 15
나: 72와 54의 최대공약수는 18입니다. ➔ 18의 약수: 1, 2, 3, 6, 9, 18
다: 24와 18의 최대공약수는 6입니다. ➔ 6의 약수: 1, 2, 3, 6
라: 16과 28의 최대공약수는 4입니다. ➔ 4의 약수: 1, 2, 4

❷ 겹쳐진 부분에 들어갈 수가 가장 많은 것을 찾아 기호를 써 보세요.

(**나**)

✤ 가: 4개, 나: 6개, 다: 4개, 라: 3개
따라서 나의 겹쳐진 부분에 들어갈 수가 가장 많습니다.

정답과 풀이 p.22

2 선생님께서는 주말 농장에서 고구마와 감자를 다음과 같이 수확하였습니다. 수확한 고구마와 감자를 최대한 많은 학생에게 남김없이 똑같이 나누어 주려고 합니다. 한 학생이 고구마와 감자를 각각 몇 개씩 받을 수 있는지 구해 보세요.

❶ 선생님은 고구마와 감자를 각각 몇 개씩 수확하였을까요?

고구마 (**90개**)
감자 (**72개**)

✤ 고구마: $30 \times 3 = 90$(개), 감자: $18 \times 4 = 72$(개)

❷ 고구마와 감자를 최대 몇 명의 학생에게 나누어 줄 수 있을까요?

(**18명**)

✤ 고구마와 감자를 최대한 많은 학생에게 남김없이 똑같이 나누어 주려면 학생 수는 90과 72의 최대공약수입니다.

❸ 한 학생이 고구마와 감자를 각각 몇 개씩 받을 수 있을까요?

고구마 (**5개**)
감자 (**4개**)

✤ 학생 수는 18명이므로 고구마는 $90 \div 18 = 5$(개), 감자는 $72 \div 18 = 4$(개)씩 받을 수 있습니다.

2단계 교과 사고력 확장

3 지우는 3일마다 수영장에 가고, 4일마다 탁구장에 갑니다. 4월 1일에 수영장과 탁구장 두 군데 모두 갔다면 4월 한 달 동안 수영장과 탁구장 두 군데 모두 가는 날은 모두 몇 번인지 구해 보세요.

붙임딱지

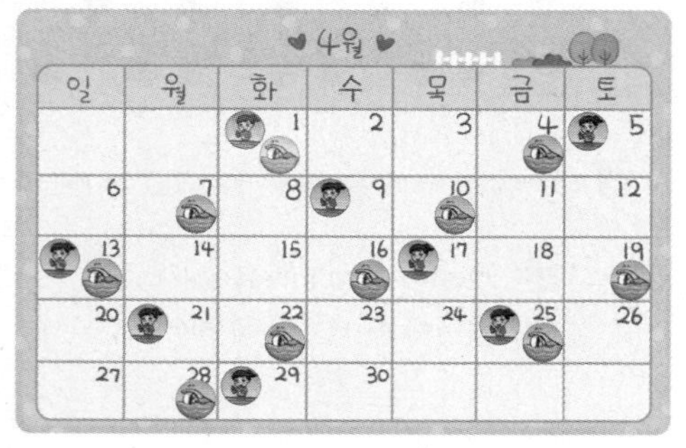

❶ 4월 한 달 동안 수영장에 가는 날에 수영 붙임딱지를 붙여 보세요.

❷ 4월 한 달 동안 탁구장에 가는 날에 탁구 붙임딱지를 붙여 보세요.

❸ 4월 한 달 동안 수영장과 탁구장에 모두 가는 날은 몇 번일까요?

(**3번**)

✤ 수영장과 탁구장 두 군데 모두 가는 날은 3과 4의 공배수만큼 지난 날짜와 같습니다.
➔ 4월 1일, 4월 13일, 4월 25일

정답과 풀이 p.22

4 다음을 보고 주어진 식을 계산해 보세요.

가◎나: 가와 나의 최대공약수
가☆나: 가와 나의 최소공배수
<가>: 약수의 개수

❶ (16◎20)☆<12>

(**12**)

✤ 16◎20: 16과 20의 최대공약수 ➔ 4
<12>: 12의 약수의 개수 ➔ 1, 2, 3, 4, 6, 12의 6개
➔ 4☆6: 4와 6의 최소공배수 ➔ 12

❷ <6>+<20>−(36◎42)

(**4**)

✤ <6>: 6의 약수의 개수 ➔ 1, 2, 3, 6의 4개
<20>: 20의 약수의 개수 ➔ 1, 2, 4, 5, 10, 20의 6개
36◎42: 36과 42의 최대공약수 ➔ 6
➔ $4+6-6=4$

❸ (15☆18)◎(18☆42)

(**18**)

✤ 15☆18: 15와 18의 최소공배수 ➔ 90
18☆42: 18과 42의 최소공배수 ➔ 126
90◎126: 90과 126의 최대공약수 ➔ 18

정답과 풀이 p.23

3단계 교과 사고력 완성

평가 영역 □개념 이해력 □개념 응용력 ☑창의력 □문제 해결력

1 1부터 9까지의 수를 한 번씩 써넣어 수 상자를 완성하려고 합니다. 각 줄에 있는 수는 구름에 쓰여진 수의 약수 중에 있는 수이어야 합니다. 보기와 같은 방법으로 수 상자를 완성해 보세요.

보기
• 수 상자에 1부터 4까지의 수를 한 번씩 써넣기

1	2	2
3	4	12
3	4	

㉠ 2의 약수는 1, 2이므로 2를 써넣습니다.
㉡ 3의 약수는 1, 3이므로 3을 써넣습니다.

❶

4	8	1	8
6	3	7	42
9	2	5	90
36	24	35	

✤

㉠	㉡	1	8
6	㉢	㉣	42
㉤	2	5	90
36	24	35	

8의 약수는 1, 2, 4, 8인데, 1과 2는 이미 쓰여 있고, ㉠은 36의 약수이므로 ㉠=4, ㉡은 24의 약수이므로 ㉡=8입니다.
42의 약수 중 10보다 작은 수는 1, 2, 3, 6, 7인데, 1, 2, 6은 이미 정해졌고, ㉢은 24의 약수이므로 ㉢=3, ㉣은 35의 약수이므로 ㉣=7입니다.
남은 수 9는 36의 약수도 되고 90의 약수도 되므로 ㉤=9입니다.

공약수를 먼저 찾아보세요.

❷

7	1	4	28
2	5	8	40
3	6	9	18
42	30	72	

✤

㉠	1	㉡	28
2	㉢	㉣	40
㉤	6	㉥	18
42	30	72	

28의 약수 중 10보다 작은 수는 1, 2, 4, 7인데, 1과 2는 이미 쓰여 있고, ㉠은 42의 약수이므로 ㉠=7, ㉡은 72의 약수이므로 ㉡=4입니다.
40의 약수 중 10보다 작은 수는 1, 2, 4, 5, 8인데, 1, 2, 4는 이미 정해졌고, ㉢은 30의 약수이므로 ㉢=5, ㉣은 72의 약수이므로 ㉣=8입니다.
18의 약수 중 10보다 작은 수는 1, 2, 3, 6, 9인데, 1, 2, 6은 이미 쓰여 있고, ㉤은 42의 약수이므로 ㉤=3, ㉥은 72의 약수이므로 ㉥=9입니다.

평가 영역 □개념 이해력 ☑개념 응용력 □창의력 □문제 해결력

2 다음은 3과 9의 배수를 만든 것입니다. 구한 배수의 각 자리 숫자의 합을 각각 구해 보고 3의 배수와 9의 배수를 알아보는 방법이 있는지 규칙을 말해 보세요.

×	2	3	5	7	11	12	21	25	98
3	6	9	15	21	33	36	63	75	294
9	18	27	45	63	99	108	189	225	882

❶ 3의 배수들의 각 자리의 숫자의 합을 모두 써넣어 표를 완성하고 어떤 규칙이 있는지 찾아 보세요.

3의 배수	6	9	15	21	33	36	63	75	294
각 자리 숫자의 합	6	9	6	3	6	9	9	12	15

➜ 규칙 각 자리의 숫자의 합이 3의 배수입니다.

❷ 9의 배수들의 각 자리의 숫자의 합을 모두 써넣어 표를 완성하고 어떤 규칙이 있는지 찾아 보세요.

9의 배수	18	27	45	63	99	108	189	225	882
각 자리 숫자의 합	9	9	9	9	18	9	18	9	18

➜ 규칙 각 자리의 숫자의 합이 9의 배수입니다.

❸ 468이 9의 배수인지 알아보려고 합니다. □ 안에 알맞은 수를 써넣고, 알맞은 말에 ○표 하세요.

468의 각 자리의 숫자의 합은 4+6+8=18입니다.
따라서 468은 9의 배수가 (맞습니다, 아닙니다). — 정답: 맞습니다

정답과 풀이 p.23

Test 종합평가 2. 약수와 배수

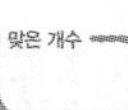

1 다음 수의 약수를 모두 구해 보세요.

(1) 16 → 1, 2, 4, 8, 16

(2) 28 → 1, 2, 4, 7, 14, 28

✤ • 16=1×16, 16=2×8, 16=4×4
• 28=1×28, 28=2×14, 28=4×7

2 13의 배수를 가장 작은 수부터 차례로 5개 써 보세요.

(13, 26, 39, 52, 65)

✤ 13×1=13, 13×2=26, 13×3=39, 13×4=52, 13×5=65……

3 식을 보고 알맞은 말에 ○표 하세요.

35=1×35 35=5×7

→ 35는 1, 5, 7, 35의 (약수 , 배수)입니다. — 정답: 배수
1, 5, 7, 35는 35의 (약수 , 배수)입니다. — 정답: 약수

4 어떤 수의 배수를 가장 작은 수부터 차례로 쓴 것입니다. □ 안에 알맞은 수를 써넣으세요.

7, 14, 21, 28, 35, 42, 49, 56……

✤ 어떤 수의 배수 중 가장 작은 수는 어떤 수 자신이므로 7의 배수를 차례대로 쓴 것입니다.
7의 배수를 가장 작은 수부터 차례대로 쓰면 7, 14, 21, 28, 35, 42, 49, 56……입니다.

5 두 수가 약수와 배수의 관계인 것에 모두 ○표 하세요.

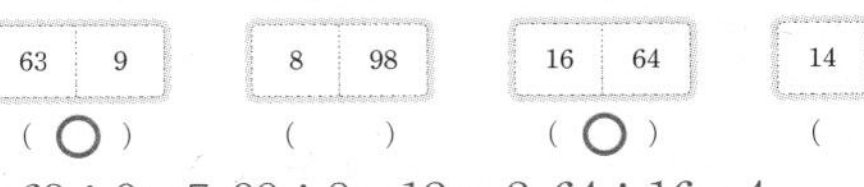

(○) ( ) (○) ( )

✤ 63÷9=7, 98÷8=12 ⋯ 2, 64÷16=4, 14÷4=3 ⋯ 2

6 약수와 배수에 대한 설명으로 잘못된 것을 모두 찾아 기호를 써 보세요.

㉠ 1은 모든 수의 약수입니다.
㉡ 수가 클수록 약수의 수가 많습니다.
㉢ 어떤 수의 배수의 수는 무수히 많습니다.
㉣ 1은 어떤 수의 배수 중 가장 작은 수입니다.

(㉡, ㉣)

✤ ㉡ 수가 크다고 약수의 수가 많은 것은 아닙니다.
(예 9의 약수: 1, 3, 9 ➜ 3개, 8의 약수: 1, 2, 4, 8 ➜ 4개)
㉣ 1은 어떤 수의 약수 중 가장 작은 수입니다.
[참고] 어떤 수의 배수 중 가장 작은 수는 어떤 수 자신입니다.

7 두 수의 최대공약수와 최소공배수를 구해 보세요.

(1)
```
3) 45  63
3) 15  21
    5   7
```
최대공약수: 9
최소공배수: 315

(2)
```
2) 40  32
2) 20  16
2) 10   8
    5   4
```
최대공약수: 8
최소공배수: 160

✤ (1) 최대공약수: 3×3=9
최소공배수: 3×3×5×7=315
(2) 최대공약수: 2×2×2=8
최소공배수: 2×2×2×5×4=160

8 11의 배수를 가장 작은 수부터 차례로 쓸 때, 14번째의 수를 써 보세요.

(154)

✤ 11의 배수 중 가장 작은 수는 11이고, 두 번째로 작은 수는 11×2, 세 번째로 작은 수는 11×3입니다.
따라서 14번째의 수는 11×14=154입니다.

Test 종합평가 2. 약수와 배수

정답과 풀이 p.24

9 두 수 가와 나의 최대공약수와 최소공배수를 각각 구해 보세요.

가=②×③×③×5
나=②×③×③×7

최대공약수 (18)
최소공배수 (630)

❖ • 최대공약수: $2\times3\times3=18$
• 최소공배수: $2\times3\times3\times5\times7=630$

10 어떤 두 수의 최대공약수는 24입니다. 이 두 수의 공약수를 모두 구해 보세요.

(1, 2, 3, 4, 6, 8, 12, 24)

❖ 두 수의 공약수는 두 수의 최대공약수의 약수와 같습니다.
따라서 두 수의 공약수는 24의 약수인 1, 2, 3, 4, 6, 8, 12, 24입니다.

11 약수의 수가 많은 것부터 차례대로 기호를 써 보세요.

㉠ 32 ㉡ 40 ㉢ 48 ㉣ 33

(㉢, ㉡, ㉠, ㉣)

❖ ㉠ 32의 약수: 1, 2, 4, 8, 16, 32 ➜ 6개
㉡ 40의 약수: 1, 2, 4, 5, 8, 10, 20, 40 ➜ 8개
㉢ 48의 약수: 1, 2, 3, 4, 6, 8, 12, 16, 24, 48 ➜ 10개
㉣ 33의 약수: 1, 3, 11, 33 ➜ 4개

12 30은 ㉠의 배수입니다. ㉠이 될 수 있는 수를 모두 구해 보세요.

30, ㉠

(1, 2, 3, 5, 6, 10, 15, 30)

❖ 30은 ㉠의 배수이므로 ㉠은 30의 약수입니다.
$30=1\times30$, $30=2\times15$, $30=3\times10$, $30=5\times6$이므로
30의 약수는 1, 2, 3, 5, 6, 10, 15, 30입니다.

13 두 수의 최소공배수의 크기를 비교하여 ○ 안에 >, =, <를 알맞게 써넣으세요.

10, 15 ㉦ 14, 21 (<)

❖ 10과 15의 최소공배수: 30, 14와 21의 최소공배수: 42
➜ $30<42$

14 20부터 50까지의 수 중에서 6과 12의 공배수인 수를 모두 써 보세요.

(24, 36, 48)

❖ 20과 5의 최소공배수: 12
12의 배수는 12, 24, 36, 48, 60, 72……
따라서 20부터 50까지의 수 중에서 6과 12의 공배수는 24, 36, 48입니다.

15 딸기 42개와 바나나 36개를 최대한 많은 친구에게 남김없이 똑같이 나누어주려고 합니다. 최대 몇 명에게 줄 수 있을까요?

(6명)

❖ 딸기와 바나나를 최대한 많은 친구에게
남김없이 똑같이 나누어주려고 하므로 나누어 줄 수 있는 친구 수는 42와 36의 최대공약수입니다.

16 두 수의 최대공약수와 최소공배수를 구하여 ⬭ 안에는 최대공약수를, ◇ 안에는 최소공배수를 써넣으세요.

(1)

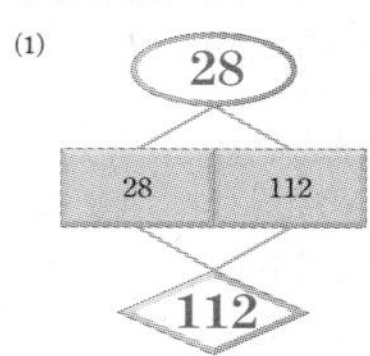

(2)

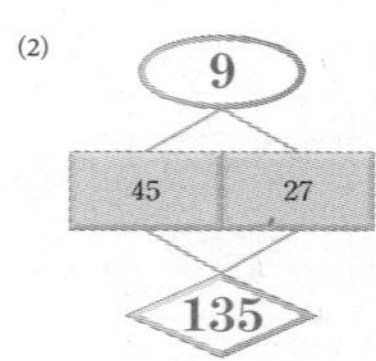

Test 종합평가 2. 약수와 배수

정답과 풀이 p.24

17 가와 나를 여러 수의 곱으로 나타낸 것입니다. 가와 나의 최대공약수가 18일 때 □ 안에 알맞은 수를 구해 보세요.

가=2×2×□×3
나=2×3×3×5

(3)

❖ 가와 나의 최대공약수가 18이고 $18=2\times3\times3$이므로
가=2×2×□×3에 2×3×3이 포함되어 있어야 합니다.
따라서 □ 안에 알맞은 수는 3입니다.

18 45와 64를 어떤 수로 나누면 나머지가 각각 3과 8입니다. 어떤 수를 구해 보세요.

(14)

❖ $45-3=42$, $64-8=56$은 어떤 수로 나누어떨어지므로 어떤 수가 될 수 있는 수는 42와 56의 공약수인 1, 2, 7, 14입니다.
이 중에서 나머지 3과 8보다 큰 수를 찾으면 14이므로 어떤 수는 14입니다.

19 가로가 9 cm, 세로가 12 cm인 직사각형의 종이를 겹치지 않게 늘어놓아 가장 작은 정사각형을 만들려고 합니다. 정사각형의 한 변의 길이는 몇 cm로 해야 하는지 구해 보세요.

(36 cm)

❖ 정사각형의 한 변의 길이는 9의 배수이면서 12의 배수이어야 하는데 가장 작은 정사각형을 만들어야 하므로 한 변의 길이는 9와 12의 최소공배수입니다.

20 어느 고속버스 터미널에서 광주행 버스는 15분마다 출발하고, 대전행 버스는 25분마다 출발한다고 합니다. 오전 9시에 광주행과 대전행 버스가 동시에 출발하였다면 다음 번에 동시에 출발하는 시각은 오전 몇 시 몇 분인지 구해 보세요.

(오전 10시 15분)

❖ 15와 25의 최소공배수: 75
버스는 75분마다 동시에 출발합니다.
75분=1시간 15분이므로 오전 9시 다음으로 동시에 출발하는 시각은 오전 10시 15분입니다.

특강 창의·융합 사고력

1 옛날 우리 조상들은 나이를 세거나 연도를 계산할 때 색을 나타내는 십간과 12종류의 동물을 뜻하는 십이지를 순서대로 하나씩 짝을 지어 갑자년, 을축년, 병인년과 같이 그 해의 이름을 정해왔습니다. 다음 십간과 십이지의 표를 보고 물음에 답하세요.

십간 (十干)	갑	을	병	정	무	기	경	신	임	계
	청(靑)		적(赤)		황(黃)		백(白)		흑(黑)	

십이지 (十二支)	자	축	인	묘	진	사	오	미	신	유	술	해
	쥐	소	호랑이	토끼	용	뱀	말	양	원숭이	닭	개	돼지

(1) 2019년은 기해년으로 황금돼지의 해라고 합니다. 다시 기해년이 되는 것은 몇 년 후일까요?

(60년)

❖ 십간은 10년마다 반복되고, 십이지는 12년마다 반복되므로 기해년은 10과 12의 최소공배수마다 반복됩니다.
10과 12의 최소공배수: 60
따라서 다음 기해년은 60년 후입니다.

갑자년 다음 해는 을축년, 그 다음해는 병인년이에요.

(2) 2020년은 흰색 쥐의 해인 경자년입니다. 2020년 이후 다시 경자년이 되는 해는 몇 년일까요?

(2080년)

❖ 같은 이름의 해는 60년마다 반복되므로 2020년의 60년 후인 2080년입니다.

정답은
이안에
있어 !